Published for the Elizabethan Club of Yale University

The Elizabethan Club Series 4

A Companion Volume to

The Yale Edition of the Complete Works of St. Thomas More

Thomas More's Prayer Book, Front Cover

Thomas More's Prayer Book

A Facsimile Reproduction of The Annotated Pages

TRANSCRIPTION AND TRANSLATION
WITH AN INTRODUCTION BY

Louis L. Martz

AND

Richard S. Sylvester

PUBLISHED FOR THE ELIZABETHAN CLUB

YALE UNIVERSITY PRESS, NEW HAVEN AND LONDON

1969

Publication of this book was aided by the
foundation established in memory of
Oliver Baty Cunningham of the
Class of 1917, Yale College.

Library of Congress catalog card number: 68–27763

Designed by John O. C. McCrillis,
set in Baskerville type,
and printed in the United States of America by
the Carl Purington Rollins Printing-Office of
the Yale University Press, New Haven, Connecticut.
Distributed in Great Britain, Europe, Asia, and
Africa by Yale University Press Ltd., London; in
Canada by McGill University Press, Montreal; and
in Latin America by Centro Interamericano de Libros
Académicos, Mexico City.

Table of Contents

Preface

This volume has been prepared in order that St. Thomas More's marginalia may be made available to the widest possible audience: both to the general public, whose interest in More has been growing rapidly in recent years, and also to scholars of the Renaissance, who will, we hope, find this facsimile a stimulation to research in the many areas necessarily left untouched by our introductory comments.

We wish to express our deep appreciation to all those who have made the publication of this volume possible. The late James T. Babb, Librarian of Yale University, was one of the chief founders of the St. Thomas More Project; his interest in More and in the basic materials for humanistic scholarship led to the purchase of this book for the Beinecke Library at Yale. James M. Osborn and Eugene M. Waith have warmly supported this facsimile from the start as representatives of the Publications Committee of the Elizabethan Club. Their support has been matched by that of the Yale University Press, in all of the many departments that have been involved in the processes of reproduction and production. Herman W. Liebert, Librarian of the Beinecke Library, and Miss Marjorie G. Wynne, Research Librarian, have offered us every facility for research in the editing of one of their greatest treasures. To the Reverend Germain Marc'hadour, who participated in the original identification of the *Psalter* marginalia, our gratitude is boundless. He has checked transcriptions, helped with the translations, offered trenchant criticisms, and inspired our work with his own energy from start to finish. We owe a great debt to N. R. Ker, Reader in Paleography at the University of Oxford, who has not only identified the binding of the prayer book for us, but has also given us his valuable help with various paleographical matters. We wish also to thank Thomas E. Marston for much useful advice, Clarence Miller, for many communications regarding the Valencia Manuscript of More's *Expositio Passionis*, and J. B. Trapp, for his aid in checking sales catalogues.

RICHARD S. SYLVESTER
LOUIS L. MARTZ

New Haven, Connecticut
November 1968

A Note on the Facsimile, Transcription, and Translation

Because of its importance and its visual interest, the portion of the *Book of Hours* containing More's prayer is here reproduced in full-color facsimile; this portion has never before been completely reproduced, although some pages from it have appeared in *Moreana*. The original *Psalter* contains headings in red, but here, since the visual effect of the printed page is not significant, the portions containing More's annotations have been reproduced in black and white. These annotations have never been published before in any form; indeed, they had not been identified as More's in modern times, before their discovery by Father Marc'hadour and Mr. Sylvester in April of 1965. All pages in the facsimile are given in their original size.

More's English prayer in the *Book of Hours* is transcribed exactly in the spelling of the original. His superscript *r* is retained in the two lines where it occurs (sigs. c_4 and d_1v), but other marks of abbreviation are expanded and italicized. The prayer is unpunctuated, except for a virgule in the first line on sig. d_1 (marking a strong syntactic inversion) and a period after the last line on sig. d_1v. The transcription corresponds line for line with the original, thus facilitating comparison with the facsimile pages. All cancellations and corrections in the original, as well as one editorial emendation, are recorded in the textual notes. A version of the prayer in modern spelling is given in the Introduction, and the 1557 text in the *English Works* is reproduced below on pp. 205–206.

The facsimile reproductions from the *Psalter* include not only those pages containing verbal annotations by More but also every page containing pen marks of any kind by him (lines drawn down the margin and "flags" or *nota bene* marks). Each verbal annotation is here transcribed separately, even when several occur in clusters. Each is identified by the signature and folio number of the page, followed by the numbers of the psalm and verse to which More's gloss refers[1] and the first words (in italic) of the verse which he is annotating.

---

1. The Psalm and verse numbers employed here are those of the modern Vulgate text *(Bibliorum Sacrorum Iuxta Vulgatam Clementinam,* curavit Aloisius Gramatica, Typis Polyglottis Vaticanis, 1929). The Vulgate, unlike the Authorized (King James) Version, usually includes the title of each psalm in its numbering of the verses, and thus the Vulgate verse numbers will often run one higher than those in other texts. The reader should also be reminded that Psalm 9 in the Vulgate [divided as "9" and "(10)" in the modern text] is treated as two psalms in the Authorized Version; thus Vulg. Psalm 10 becomes A. V. Psalm 11 and the numbers of the latter generally run one higher than those of the former through the rest of the Psalter. Many of More's marginalia (e.g. 12:1, 37:1, 59:3) refer to the entire psalm and not merely to its opening verses.

More's own note is then printed in roman, with abbreviations expanded and italicized, and is followed by a literal English translation in parentheses. Cancellations in the original, along with editorial emendations, are recorded in the textual notes, which are also occasionally employed to offer explanatory comments on the annotations or on the translation of them. The marginalia were first transcribed by Father Marc'hadour and Mr. Sylvester; the translation given here is primarily the work of Mr. Sylvester.

List of Illustrations

Introduction

The facsimile pages presented in this volume contain materials which are of the greatest significance for the student of the life and works of St. Thomas More. What we have called "Thomas More's Prayer Book" is actually two printed books, a Latin *Book of Hours* and a liturgical Latin *Psalter,* which are bound together as a single volume now preserved in the Beinecke Rare Book and Manuscript Library of Yale University. This volume was in Thomas More's possession while he was a prisoner in the Tower of London (April 17, 1534–July 6, 1535). In the upper and lower margins of 19 pages in the *Book of Hours* More wrote an English prayer which has long been known[1] as "A Godly Meditation," the title given to it by his nephew, William Rastell, when he first published it in the 1557 edition of More's *English Works.*[2] Often reprinted, and frequently quoted, the "Godly Meditation" is justly famous; its lines are resonant with More's intense spirituality as he pondered the death which he knew awaited him, and yet they reflect, deeply and poignantly, the lot of any Christian as he endeavors "to walk the narrow way."

The second item in More's prayer book, his liturgical *Psalter,* gives us a broader, and perhaps ultimately a deeper, insight into the state of his mind during the period of his imprisonment. In its margins More wrote about 150 notes, each of them carefully related to the verses of the psalms next to which they appear. His annotations reflect his personal griefs and fears as he prayed his *Psalter* and strove to comfort his soul. Moreover, many of them relate closely to the central situation of his *Dialogue of Comfort against Tribulation,* the best of More's English works, which, all the evidence indicates, he composed in the Tower.

1. The most extended and the most recent discussion of More's prayer and his *Book of Hours* has been conducted in the pages of *Moreana* (Quarterly, 29 rue Volney, Angers). See particularly the following articles and letters: G. Marc'hadour, "A Godly Meditation," no. 5 (1965), 53–72; Edwyn Birchenough, no. 6 (1965), 65–68; G. Marc'hadour, nos. 7 (1965), 75–78, and 9 (1966), 101–06; J. B. Trapp, no. 11 (1966), 47–51; and W. J. Anderson, no. 12 (1966), 90–92. In no. 13 (1967), 45–52, Geraint Gruffydd discusses "A Prayer of St. Thomas More's in Welsh, 1587." The editor of *Moreana,* the Rev. Germain Marc'hadour, has authorized us to make use of these contributions in this Introduction.

2. *The vvorkes of Sir Thomas More Knyght* (London, 1557), S.T.C. 18076, sigs. UU₈v-XX₁. Cited hereafter as "*English Works.*" Rastell's text of the prayer is reproduced below on pp. 205–206. It should be noted that, when we speak of Rastell as directly responsible for texts in the 1557 edition, we do so only for convenience' sake. Most probably, he acted only as its entrepreneur, contributing the magnificent preface and overseeing the publishing.

Tabula.

Cf iuls presentis tabule.

Catalogus et ordo codicum.

A B C abcdefghiklmnopqrstbxyz z aa
bb.Omnes sunt quaterni preter aa qui est ternus/a bb
qui est duernus.

Expliciut Hore beate Marie/secundu bsum Sar/
totaliter ad longum/cu multis pulcherrimis orationi
bus et indulgetijs iam bltimo adiectis. Impresse Pa
risijs in edibus Francisci Regnault Alme vniuersita-
tis parisiensis librarij iurati. Anno domini millesimo
quingentesimo trigesimo. Die bltima Aprilis.

Colophon Page (sig. bb4), *Book of Hours*

BIBLIOGRAPHICAL DESCRIPTION

I. The *Book of Hours*.

Title-Page:[1] ¶ Hore beate Marie ad vsum | ecclesie Sarisburiensis. | ¶ Anno.M. ccccc.xxx. | [woodcut of Tree of Jesse] ¶ Uenundantur Parisijs apud Francis- | cum | Regnault / in vico sancti Iacobi / ad signum | Elephantis. | All within a woodcut border, which contains the date 1525 in its left and right margins.

Format and Signatures: Quarto. A-C⁸, a-z⁸, &⁸, ℈⁸, aa⁶, bb⁴. Folio numbers do not begin until sig. a₁. They then run consecutively from j to ccvj. The final gathering (bb) has no folio numbers. The following irregularities occur: A₂ mismarked B₂, fol. xviij unnumbered, fol. clxv misnumbered lxv, fol. clxxvj misnumbered lxxvj. The full page measures 202 mm. x 135 mm. The type page measures 162 mm. x 100 mm.

Colophon (sig. bb₄): ¶ Expliciunt Hore beate Marie / secundum vsum Sarum / | totaliter ad longum / cum multis pulcherrimis orationi | bus et indulgentijs iam vltimo adiectis. Impresse Pa | risijs in edibus Francisci Regnault Alme vniuersita = | tis parisiensis librarij iurati. Anno domini millesimo | quingen- tesimo trigesimo. Die vltima Aprilis. | On sig. bb₄v is Regnault's Sign of the Elephant and beneath it the date, M.d.xxx.[2]

More's *Book of Hours* is an imperfect copy; in its present state it lacks nine signatures (sigs. f₁-o₈), or 72 leaves (fols. xlj-cxij), which may have been lost when the volume was bound or rebound.[3] Whether or not these missing pages contained further marginalia by More we shall probably never know, but other hands than his have been at work elsewhere in the volume. Inside the front binding, on a pasted down leaf which may originally have been a fly-leaf,[4] is written "Liber quondam Thomae Mori militis in multis locis manu

---

1. See facsimile p. 1.

2. Only one other copy of this edition (S.T.C. 15963) is now known (Bodleian Library, Gough Missal 117). It is described in Edgar Hoskins, *Horae Beatae Mariae Virginis* (London, 1901), No. 89. Hoskins mentions another copy sold at Sotheby's as lot 485 on July 29, 1886. See also Hanns Bohatta, *Bibliographie der Livres D'Heures* (Wien, 1924), No. 1143, following a listing in *Serapeum*, 2, 239. The last two references may, however, refer to Hoskins No. 93, another quarto *Book of Hours* published by Regnault in 1530. The description in the Sotheby sale catalogue (p. 41) indicates that this copy could not have been More's: "wants part of Fiiii, Ni and ii, Rviii and Sv, blue morocco extra, gilt gaufré edges, old style."

3. The Bodleian copy is also imperfect. It lacks the final leaf (bb₄) and the ℈ signature is bound before the & signature instead of after it.

4. See the illustration, p. xvi. These lines are written over a number of scratched-out words, some of which can still be deciphered. At the upper left are the words "in gratitudo in pios." Between the second and third lines of the inscription can be read "tu plan . . . . where euer etc."; a line below begins with the letters "Som . . . . " The hand which wrote these canceled lines appears

Inside Front Cover

sua propria inscriptus,"[1] and the same hand has penned the words "Refugium meum dominus" across the bottom of the title page.[2] Another hand has made a number of additions and corrections in the text throughout the *Book of Hours*. Thus at sig. c_1v, line 6, the words "Maria plena gratiae & c." are added, and the running head on sig. c_8v is changed (correctly) from "tertiam" to "sextam." Since these changes are usually made in letters which imitate the shape of the letters in the printed text, it is possible that at least some of them may have been printer's corrections.[3]

II. The *Psalter*.

Title-Page:[4] Sancta trinitas vnus deus miserere nobis. | ¶ Psalterium cum Hymnis | secundum vsum & consuetudinem | Sarum et Eboracensem. | [Woodcut showing device of the Trinity] Fortuna opes auferre: non animum potest. |

Format and Signatures: Quarto. ✠⁸, a-s⁸, t⁴, A-D⁸, E⁴. The *Psalter* is actually in two parts, the psalms proper running from fol. j to fol. cxlviij (sigs. a_1-t_4, after the preliminary ✠ signature containing the calendar) and a hymnal ("Sequuntur hymni etc.") occupying sigs. A-E (36 leaves). The folio numbers commence again with j on A_1 and run consecutively to E_4 (fol. xxxvj). Signature C_4 is mismarked B_4 in the hymnal. The full page measures 202 mm. x 130 mm., the type page 150 mm. x 96 mm.

Colophon (sig. E_3v): ¶ Explicit Psalterium cum antiphonis dominica = | libus & ferialibus suis locis insertis / vna cum | hymnis ecclesie Sarum et Eboracensem. deser = | uientibus. Impressum Parisius Expensis | & sumptibus honesti mercatoris Francisci | Byrckman. Anno virginei partus. M. ccccc. | xxij. Die vero .vij. mensis Iunij. | Signature E_4 is blank; signature E_4v contains the device of Francis Byrckman.[5]

---

to be the same hand that penned the passage on "Idolatry" which is found on one of the end papers bound into the volume (see below). The Beinecke bookplate on the inside cover does not conceal any handwriting.

1. "Once the book of Thomas More knight, inscribed in many places with his own hand." The phrase "in multis locis" probably refers to More's annotations in the *Psalter* as well as to the English prayer in the *Book of Hours*.

2. These words probably echo Psalm 31:7, "Tu es refugium meum a tribulatione quae circumdedit me," a verse which More annotated in his *Psalter*. See facsimile p. 62.

3. There are about two dozen corrections in all, running from sig. a_8v to sig. y_8. All except the last are in brown ink, in contrast to the black ink which More used for his English prayer. The longest addition comes at the foot of sig. d_4v where the following lines are written:

> Summa Deum pietas nostreque iniuria culpae
> factum hominem saeuam iussit adire crucem.

4. See facsimile, p. 23, which reproduces the title page in the other Yale copy described below.

5. See the illustrations, pp. xviii and xxii.

Tabula hymnoȝ.

ℭ Explicit Psalteriȗ cȗ antiphonis dȓicalibus ȝ ferialibᵒ suis locis insertis / vna cȗ hymnis ecclesie Sarȗ et Eboȝacȇ. deseruientibus. Impȝessum Parisius Expȇsis ȝ sumptibus honesti mercȧtoȝis Francisci Byȝckman. Anno virginei partᵒ. M. ccccc. xxij. Die vero. vij. mensiȝ Junij.

Colophon Page (sig. E₃v), *Psalter*

More's *Psalter,* like the *Book of Hours,* is now imperfect. It lacks the first signature (✠¹⁻⁸, including the title page), all of the r, s, and t signatures (fols. cxxix-clij) and the final leaf (E$_4$). Another copy of this same edition at Yale is complete[1] and it has been used for the facsimiles of the title page and sig. E$_4$v.

Bound into More's prayer book after the *Psalter* are five nonconjugate leaves. Four of these are blank, but the middle leaf contains a paragraph (not in More's hand) which quotes and enlarges upon St. Augustine's definition of idolatry. Pasted inside the back cover is a single leaf which gives the opening verses for a sequence of five psalms (21, 19, 73, 97, and 110). These lines are in More's autograph, but we have not been able to discern any special significance in this arrangement of these particular psalms. The first three were annotated by More in the *Psalter* earlier, but he has no marginalia on numbers 97 and 110.

III. The Binding.

The front and back covers of the prayer book are an original English blind-stamped binding of the sixteenth century. The spine has been rebacked in nineteenth-century calf. Both the covers have been much battered and there is extensive wormholing.[2] The ties of the metal clasps have been broken off, but the four studs are still attached to the covers. Although the designs of the rolls on the covers are now very faint, it is possible to identify them as corresponding, in this combination, with a binding recorded in 1534.[3] The prayer book binding can thus be safely assigned to the period 1530–1540, even if we cannot be sure that the *Book of Hours* and *Psalter* were bound together when More used them in the Tower. The two books may have been bound together then, but the fact that each work now lacks a considerable number of pages tends to indicate a later binding before or during which these signatures were lost. The marginalia themselves are of no help here, for the English prayer contains no reference to the *Psalter* and the *Psalter* annotations do not refer to the *Book of Hours.*

1. The call number is Mrm 74, 1522. Two other copies of this 1522 edition (S.T.C. 16260) by Byrckman are known, one in the Bodleian Library and the other in the Cambridge University Library.

2. There are also a number of wormholes in the pages of the *Book of Hours* and *Psalter,* but these rarely affect the printed texts and never obscure the text of More's marginalia. On the facsimile photographs these holes appear as white dots on the pages, each of which was backed with white paper before photographing.

3. The borders are Oldham, SW. b (6), 949 (Plate LVI), a strapwork pattern, and the rolls used in the panels are Oldham, FP. g (2), 686 (Plate XLII), a foliage design. See J. Basil Oldham, *English Blind-Stamped Bindings* (Cambridge, 1952), p. 47, who records only one example of this combination.

Thomas More's Prayer Book, Spine and Back Cover

IV. The Printers.

Both Francis Regnault and Francis Byrckman were well-known printers and stationers who lived for some years in England during the early sixteenth century.[1] Byrckman was a native of Cologne, one of a large family of stationers who had their headquarters in Antwerp. He is first mentioned in 1504, when he issued a Sarum missal[2] in partnership with Gerard Cluen of Amersfoordt. His business expanded rapidly after 1510 as he specialized more and more in Sarum service books, most of which, like the 1522 *Psalter,* were printed on the Continent for him and imported into England. Byrckman had a London shop in St. Paul's Churchyard. No book is known to have been printed for him after 1529 and he seems to have been dead by 1530, when his son, Francis the younger, returned to the Continent. Byrckman's device always contained his mark and the arms of Cologne, and he often introduced these designs into the ornamental borders of his books.

Francis Regnault began his career as a London stationer about the end of the fifteenth century. After 1518, when his father died, he issued a great number of service books from Paris for the English market. His shop, from 1523 on, was at the Rue Saint Jacques, "en face des Mathurins, à l'enseigne de lelephant."[3] Regnault's export business for the English market was severely hampered by the restrictions placed on foreign printers and on imported books in the Act of December 25, 1534;[4] his last English primer (S.T.C. 16005a and b), corrected in press to remove references to Thomas à Becket, was published in 1538. He died at Rouen between November 23, 1540 and June 21, 1541.

V. Provenance.

Except for the statement on the inside of the front cover regarding More's original possession of the prayer book, there are no other indications of ownership in the volume.[5] It is perhaps significant that when More's English prayer

1. Good accounts of both printers can be found in E. Gordon Duff, *A Century of the English Book Trade* (London, 1905), pp. xxii-xxiii, 14, and 133-34, and in the same author's *The Printers, Stationers and Bookbinders of Westminster and London from 1476 to 1535* (Cambridge, 1906), pp. 207-10 and 217-19.

2. That is, a missal according to the use of Salisbury. See p. xxv, n. 5.

3. P. Renouard, *Imprimeurs Parisiens* (Paris, 1898), pp. 313-14.

4. See Duff, *A Century of the English Book Trade,* p. xxi, and, for a full account of Regnault's plight in these years (1534-38), Charles C. Butterworth, *The English Primers (1529-1545),* (Philadelphia, 1953), pp. 165-71.

5. That the volume remained in Catholic hands during the sixteenth century is perhaps indicated by the fact that the many references in the *Book of Hours* to various popes have not been obliterated. In most of the English service books extant from this period, as in the calendar of the

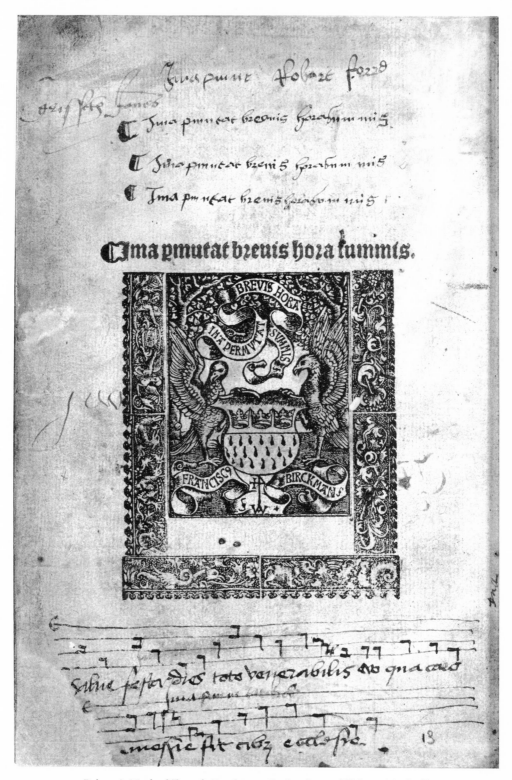

Printer's Mark of Francis Byrckman, *Psalter* (second Yale copy), sig. E$_4$v

appeared in the 1557 *English Works,* it was not said to be printed directly from either the *Book of Hours* or from a copy of the prayer in More's own hand. In all probability copies of the prayer were made by members of the More circle as soon as the prayer book left More's possession,[1] and it was from one of these copies that Rastell took his text.

The subsequent history of the prayer book is a complete blank until the twentieth century.[2] At some time before 1929 the volume came into the possession of the Feilding family, Earls of Denbigh. Through the generosity of the ninth Earl, Rudolph Feilding (1859–1939), the prayer book was included in the exhibition of More's relics and writings held at the Convent of the Adoration Réparatrice, Beaufort Street, Chelsea, in July 1929.[3] It was exhibited again at the Bodleian Library, Oxford, in 1935. After World War II it passed from the Feilding family to a continental owner, from whom it was purchased by the Beinecke Library in August 1965.

BOOKS OF HOURS AND PSALTERS

Of the two items which comprise Thomas More's prayer book, the second, his liturgical psalter, will no doubt be more familiar to the modern reader. The psalms formed a part of the Hebrew divine service in pre-Christian times, and they passed naturally from the synagogue into the liturgy of the early church. In Latin or the vernacular, they have always occupied a central position in Christian worship. St. Jerome made three successive translations of the psalter and it was his second version, the so-called Gallican Psalter, that became the standard Vulgate text. Byrckman's 1522 edition is representative in every

---

other Yale copy of the *Psalter,* references to popes and some saints are heavily inked over or scratched out.

1. We cannot be certain just when the prayer book left the Tower. The marginalia could have been written at almost any time during More's imprisonment, and the book may have remained with him until the eve of his execution, when he sent some personal belongings to his daughter Margaret. It is unlikely that the prayer book was included in the group of books which were taken away from More on June 12, 1535 by Thomas Cromwell's agents (see R. W. Chambers, *Thomas More* [London, 1935], p. 332), but it may well have been smuggled out of the Tower before that date.

2. Its existence was unknown to T. E. Bridgett (*Life and Writings of Sir Thomas More,* London, 1891), who devotes a still useful appendix (pp. 441–44) to other relics of More. In *Notes and Queries* for August 13, 1892 (8th Series, II, pp. 121–22), Bridgett gave an account of a manuscript book of hours, then in the possession of Baron von Druffel of Münster, which had once belonged to More's son John and in which were recorded the birth of a number of More children between 1531 and 1561.

3. The catalogue of the Chelsea Exhibition says that the prayer book came to the Denbighs from "the Powys family of Berwick, Shropshire." We are very grateful to Nicolas Barker for providing us with this information.

Printer's mark of Francis Regnault, *Book of Hours,* sig. bb4 v

respect.[1] After a preliminary calendar, which lists the feast days month by
month, and day by day, it prints a two-page (sig. ✠8) exhortation "De laude /
virtute / & efficacia psalmorum." The Vulgate text of the psalms follows, with
running heads and interspersed rubrics indicating the season and service at
which particular psalms are to be sung. Many of the psalms are introduced by
antiphons, or short pieces of plainsong, with their musical staves. After the
psalms proper (sigs. r_1-t_4) comes the litany, followed by a series of short prayers,
and the service for the dead. The hymnal (sigs. A-E_4) gives the texts of hymns
sung at principal feasts throughout the year. It concludes with an alphabetical
index of first lines.

Books of hours, or primers, as they were usually called in England,[2] are
much less homogeneous volumes than psalters. The basic element in all books
of hours was the office of (that is, special services devoted to) the Virgin Mary,
containing the psalms and hymns, with appropriate ancillary prayers and re-
sponses, which were recited and sung at the canonical hours of matins, lauds,
prime, terce, sext, none, vespers, and compline. Modern research[3] has shown
that this office was first developed by St. Benedict of Aniane (c. 750–821) as a
supplement to the daily office of the Breviary. It spread quickly from French
monasteries to England and was firmly established there by 1050. During the
twelfth and thirteenth centuries it was adopted by the secular clergy for cathe-
dral use. The service thence became popular with the laity, who used it for
both public and private devotions. The first vernacular primers appear in the
second half of the fourteenth century, but most of them remained at least
partly in Latin until the time of the Reformation.[4] The office of the Virgin
Mary, like that of the Breviary, varied from diocese to diocese in Western
Europe. For England the use of Sarum dominated,[5] and it is this use which
is presented in Regnault's 1530 volume.

1. For a good account of the psalter and its use in the early sixteenth century, see Helen C. White,
The Tudor Books of Private Devotion (Madison, Wis., 1951), pp. 31–52.

2. According to the *Oxford English Dictionary*, the word "primer" probably comes from "prime,"
the name of the first canonical hour in the daily service. It is also true, however, that the primer
was often the "first" book used by children, and the word may have originated in this fashion.

3. The standard treatment in English is that of Edmund Bishop, "On the Origin of the Prymer,"
in his *Liturgica Historica* (Oxford, 1918), pp. 211–37. This article originally appeared as an appendix to the Early English Text Society's edition (Original Series *105* and *109*, London, 1895 and
1897) of *The Prymer or Lay Folks' Prayer Book*, ed. by Henry Littlehales, which prints a vernacular manuscript primer of 1420–30.

4. For a fuller account, see White, pp. 53–56, and Butterworth, pp. 1–17.

5. The Sarum use prevailed in the dioceses of Canterbury and Lincoln as well as in Salisbury
itself. For the history and development of the rite, see Dom David Knowles, "Religious Life and
Organization," in *Medieval England*, ed. A. L. Poole, (2 vols. Oxford, 1958) 2, 382–438, especially
pp. 394–95. Other uses in Britain were those of York, Hereford, and Bangor. A York book of hours
printed in 1536 (S.T.C. 16106) has been edited for the Surtees Society, *132* (1920).

But the "little hours of the Virgin," as they were popularly called, form only a small part of most books of hours. By the middle of the tenth century a number of other services and series of prayers had become associated with the office of the Virgin. These features soon came to be considered as essential elements, and thus liturgical historians find that most extant books of hours are built up around the following group of core materials:

I. The Hours of the Virgin
II. The Seven Penitential Psalms (Vulg. 6, 31, 37, 50, 101, 129, 142)
III. The Fifteen Gradual Psalms (Vulg. 119–133)
IV. The Litany
V. The Office of the Dead, together with the Commendations which follow it.[1]

To these elements were added, from time to time, and from diocese to diocese, a vast body of additional prayers and sundry devotions for particular occasions. Moreover, since most books of hours were the personal possessions of the laity, they were often richly illuminated and ornamented for their wealthier owners. Some of the surviving manuscript examples are priceless works of art.

More's printed book of hours is a typical specimen, and a brief description of its contents will illustrate the traditions of popular devotion which it represents. Although most of the prayers, psalms, and other material that it contains are in Latin, they are often introduced by English titles and rubrics.[2] The volume opens with a calendar, tables of movable feasts and of the phases of the moon, and a few pages on the signs of the zodiac and the four humors. Then comes the opening chapter of the Gospel of St. John, followed by the first chapters of Luke, Matthew, and Mark and then the Passion according to St. John. The next item is a series of *suffragia,* or prayers for special occasions—one prayer "to be sayde or ye departe out of your chambre," for example, and another to be offered "whan thou shall receyue the sacrament," the collection filling about 14 pages (sigs. C_2-C_8). The office of the Virgin begins on sig. a_1; interwoven with it is the supplementary *Horae de Cruce* (Hours of the Cross). After the office another collection of suffragia is introduced (sigs. e_5-g_7v), including several to which large indulgences are attached.

---

1. The classifications used here are basically those of V. Leroquais in his Introduction (vol. 1) to *Les Livres d'heures manuscrits de la Bibliothèque nationale* (4 vols. Paris, 1927–43). See also P. Lacombe, *Livres D'Heures Imprimés Au XVe Et Au XVIe Siècles* (Paris, 1907) and Hoskins' Introduction to his *Sarum and York Primers.*

2. The first printed primer in English was a Protestant work of 1529, but no copy is now extant (Butterworth, p. 17). During the 1530s several bilingual books of hours appeared, including one published by William Rastell in 1532 (S.T.C. 15976; the only known copy is in the Cambridge University Library). Rastell's volume also contains several prayers composed by More's friend, Cuthbert Tunstal, the Bishop of Durham.

The Fifteen O's[1] of St. Bridgit of Sweden, in Latin, occupy sigs. g_8-h_3v; they are followed by another section of special suffragia (sigs. h_4-k_8). Then come, in this order, the Hours of the Conception of the Blessed Mary (sigs. k_8v-l_1v), a further set of suffragia (sigs. l_2-p_6v), the Fifteen O's in English (sigs. p_7-q_3v), the seven Penitential Psalms (sigs. q_4-r_1v), the 15 Gradual Psalms (sigs. r_1v-r_6), the Litany and accompanying ejaculations (sigs. r_6v-s_2v), a short series of verses from the psalms called *Versus sancti bernardi*[2] (sigs. s_3-s_3v) plus a few additional prayers, the Office of the Dead (sigs. s_5-x_2), the Commendations (sigs. x_2-y_2v), the Passion Psalms (Vulg. nos. 21–30, sigs. y_3v-z_3), the Psalter of St. Jerome[3] and other prayers attributed to him (sigs. z_3-$\&_3$v), the Hours of the Name of Jesus and the Hours of the Blessed Mary (sigs. $\&_4$-aa_3v), and "The forme of confessyon," in English (sigs. aa_4-bb_1). A table of contents then terminates the book—a rich collection indeed, and one in which the devout layman might well find prayers to satisfy his needs on almost any occasion.

THE MARGINALIA

I. Authenticity and Date of Composition.

There can be no doubt whatsoever that both the English prayer in the *Book of Hours* and the Latin annotations in the *Psalter* are in More's own hand. The holograph nature of the "Godly Meditation" has been generally accepted since its presence in the *Book of Hours* was made public in 1929.[4] Its authenticity can be verified by comparing its paleographical features with those of More's holograph English letters now in the British Museum and Public Record Office.[5] With More's Latin hand, however, the case has been different. Until quite recently, no extensive specimen of his Latin script had

---

1. A very popular series of 15 prayers, each of which begins with the exclamation "O."

2. The English rubric tells the apocryphal story of "St. Bernard's Psalter": "Whan saynt Bernard was in his prayers the dyuell sayd vnto him. I knowe that therbe certayne verses in the sawter hoo that saye them dayly schall not peryshe: and he schall haue knowlege of the daye that he schall dye but the fende wolde not schowe them to saynt Bernard. Than sayd saynt Bernard. I schall dayly say the hooll sawter. The fende consyderyng that saynt Bernard scholl doe so moche profyte and good labor / so he schewed hym this verses."

3. A *cento* prayer consisting of 190 verses extracted from the psalms. This sequence may have served as a model for a Latin prayer by More. See p. xxxi, n. 6.

4. See, e.g., Chambers, p. 22.

5. These were first described and printed in Joseph Delcourt, *Essai Sur La Langue De Sir Thomas More* (Paris, 1914), pp. 317–66, and they also appear in Elizabeth F. Rogers, *The Correspondence of Sir Thomas More* (Princeton, 1947). The page reproduced here is from Rogers, no. 198, More's letter of March 5, 1534, to Henry VIII (British Museum MS. Cotton Cleopatra, E. vi. 177). For discussion of More's English and Latin hands, and a comparison of one with the other, see G. Marc'hadour in *Moreana*, no. 5 (1965), 61–71.

More's English Hand. Letter to Henry VIII, British Museum MS.
Cotton Cleopatra E. VI. 177 (reduced)

been accepted as authentic,[1] but the discovery in Spain of the holograph manuscript of More's *Expositio Passionis* in 1963 has remedied this difficulty.[2] Comparison of the hand of the Valencia manuscript with that which wrote the *Psalter* marginalia reveals that the two are identical.

But, even if the English and Latin hands in the prayer book are incontestably More's, can we be certain that he wrote the marginalia while a prisoner in the Tower—that is, between April 17, 1534, and July 6, 1535? Regnault's *Book of Hours* was printed four years before More's imprisonment began, and Byrckman's *Psalter* may have been in his possession as early as 1522. Could he not have written his prayer and annotations in the volumes at some time during this period? For anyone acquainted with More's deep spirituality and his constant awareness of death, the answer to this question must be, "Yes, he *could* have."[3] Yet, if the external and internal evidence is closely examined, there is every probability that the marginalia were in fact written while More was in the Tower.

First of all, with regard to the "Godly Meditation," Rastell's statement in the 1557 *English Works* cannot be taken lightly. He specifically affirms that More wrote the prayer "whyle he was prisoner in the tower of London in the yere of our Lord. 1534,"[4] and he includes it as the fourth item in a sequence of five "deuout and vertuouse instruccions, meditacions and prayers made and collected by syr Thomas More knyght while he was prisoner in the towre of London."[5] While it is true that Rastell is not always absolutely precise in his

---

1. A few of More's Latin letters are believed to be holograph (e.g. Rogers, nos. 139 and 142, both to Francis Cranevelt), but these date from the 1520s and are quite brief.

2. See Geoffrey Bullough, "More in Valencia: A Holograph Manuscript of the Latin 'Passion,'" *The Tablet*, *217* (December 21, 1963), 1379–80; G. Marc'hadour, "Au Pays de J. L. Vivès: La plus noble relique de Thomas More," *Moreana*, nos. 9 (1966), 93–96, and 10 (1966), 85–86; and Clarence Miller, "The Holograph of More's *Expositio Passionis*: A Brief History," *Moreana*, nos. 15–16 (1967), 372–79. Two pages (fols. 158 and 159ᵛ) from this manuscript, now in the Royal College of Corpus Christi in Valencia, are reproduced here. More quotes from the *Psalter* on each of these pages. The entire manuscript is being edited in facsimile by Professor Miller for the Yale Edition of More's Works (vol. 13, pt. 2).

3. As Father Marc'hadour has well said, the English prayer "contains no sentence beside which it would be hard to place some passage from More's earlier writings, equally stark and thoroughgoing . . . . For More, every day was doomsday" (*Moreana*, no. 5 [1965], 60).

4. Rastell follows the normal practice in Tudor England when he makes the year begin on Lady Day, March 25. His "1534" thus covers the period between March 25, 1534, and March 24, 1535, in modern reckoning.

5. *English Works*, sigs. UU₈v and UU₃ (mismarked XX₃). The "Deuout Instruccions" occupy sigs. UU₃-XX₂, and the five items seem to have been arranged in what Rastell considered to be their order of composition. The first two and the fourth (the "Godly Meditation") are dated 1534; the third (More's *cento* prayer discussed below) is not given a year date, and the final item is dated 1535. All five of the prayers are being edited by Garry E. Haupt in the Yale Edition (vol. 13, pt. 1).

More's Latin Hand, Valencia Manuscript, fol. 158

assignment of dates for More's writings,[1] he is, on the whole, remarkably accurate.

Secondly, we should note that the second of the five "Deuout Instruccions" is also found, with its sections arranged in a different order,[2] in the final gathering of the Valencia manuscript of the *Expositio Passionis,* a work which Rastell declares to be the very last of More's writings in the Tower: "Syr Thomas More wrote no more of this woorke: for when he had written this farre, he was in prison kepte so streyght, that all his bokes and penne and ynke and paper was taken from hym, and sone after was he putte to death."[3]

Thirdly, on sigs. a_5v, a_6, a_6v, and a_7 (fols. v^v-vij) More marked certain verses of Psalm 9 with a series of letters which run from "a" to "p" but which are not arranged in strict alphabetical sequence.[4] The letters suggest that the annotator is planning to arrange the verses of the psalm in an order different from that of the text itself. At the same time, he appears to be selecting what seem to him to be appropriate verses either for his meditation or for a prayer of his own which he is composing. Now, that More did in fact design such a composite (or *cento*)[5] prayer we know from the 1557 *English Works,* where Rastell prints, as the third of the "Deuout Instruccions":

> A deuoute prayer, collected oute of the psalmes
> of Dauid, by sir Thomas More knighte (while
> he was prisoner in ye tower of London) whereunto
> he made this title folowing.
>
> > *Imploratio diuini auxilij contra tentationem;*
> > *cum insultatione contra daemones,*
> > *ex spe & fiducia in deum.*[6]

1. The English *Treatise on the Passion,* which Rastell says was composed in the Tower, is now known to have been written at least in part before More's imprisonment. See *St. Thomas More: Selected Letters* (New Haven, 1961), p. 185. For a general evaluation of Rastell's reliability, see *The History of King Richard III,* ed. R. S. Sylvester, vol. 2 of the Yale Edition (New Haven, 1963), pp. xxix-xxxii.

2. Professor Miller informs us that there is no way in which the leaves of this last gathering could have been rearranged so as to produce the sequence of sentences found in the 1557 text. Rastell's (or an earlier copyist's) editorial reconstruction of the prayer thus seems well established. In Professor Miller's opinion, the final gathering of the Valencia MS. was almost certainly written *before* the earlier gatherings which contain the *Expositio Passionis.*

3. *English Works,* sig. UU$_2$v; see also Rastell's similar comment at sig. QQ$_7$v.

4. For the actual order, see the transcription, below, pp. 190–91.

5. *Cento* poems seem to have originated with the *cento nuptialis* of Ausonius in the fourth century. Their use in the liturgy is rare, but see the next note.

6. *English Works,* sig. UU$_4$. The prayer, which runs to sig. UU$_8$v, begins with verses from Psalm 3 and ends with the whole of Psalms 62 and 66. The Psalter of St. Jerome, included in More's *Book of Hours,* may have provided a distant model for More's prayer. It contains 190 verses, beginning with Psalm 5 and ending with Psalm 142. No psalm is selected in its entirety, and no reordering of verses occurs.

More's Latin Hand, Valencia Manuscript, fol. 159v

Rastell's statement that More himself devised the title to this composite prayer becomes especially significant when we turn to the *Psalter* marginalia, for the phrasing of the title corresponds exactly with several of More's annotations for particular psalms. Thus Psalm 58:2 is marked, "Imploracio auxilij contra uel demones uel malos homines"; at Psalm 3:7, which also forms the sixth verse of the cento prayer, More wrote, "Insultatio contra demones"; 19:8, 56:2, and 72:28 are marked, "fiducia in deum," and 26:13, "spes et fiducia." It is clear, from these and from many other examples, that the themes of the cento prayer are linked directly with those which concerned More most closely as he annotated his *Psalter*.

But the correspondence between cento and *Psalter* does not stop with these thematic similarities. The first verse in the 1557 prayer is Psalm 3:2, which is also the first verse annotated by More in the *Psalter* (sig. a_2).[1] In addition, More has run his pen down the margin on this page, indicating that his note on 3:2 also covers the third and fourth verses of the psalm. The line touches the top of verse 5 but does not include it. The cento prayer begins with Psalm 3:2–4; it skips verse 5 but includes verses 6 and 7, both of which are separately annotated by More in the *Psalter*. Again, after 3:7 the cento prayer skips to 5:9–13, all of which it includes; in the *Psalter* More annotates 5:11, but his line down the margin stretches from 5:8 to 5:13 (sig. a_3). [2] Or, to take just one more example, all of Psalm 12 is included in the 1557 prayer. More's note in the *Psalter*, "Qui scrupulum habet in confessione et animo suo non satisfacit precetur hunc psalmum," obviously singles out the whole psalm, and not merely its opening verse, for special attention.

Patterns like these, either duplicating exactly or approximating closely the sequence of verses in the cento prayer, can be found at many places in the *Psalter* marginalia. But the most striking instance occurs with the sequence of letters next to Psalm 9, referred to above. The order of the verses from the psalm in the cento prayer[3] is as follows in this instance: 9:14, 9:11, 9:10, (10):1,[4] 9:19, (10):12, (10):14, (10):17, 10:5. In the *Psalter* the verses are marked in the following fashion:[5] 9:14 [a], 9:11 [b], 9:10 [c], (10):1 [g, with an "e" canceled before it], 9:19 [d], (10):12 [h], (10):14 [i], (10):17 [k], 10:5 [m and

---

1. On the preceding pages (sigs. a_1–a_1 v) More made six *nota bene* marks in the margin, but his note on 3:2, "anima resipiscens a peccato," are the first actual words he wrote in the book.

2. Psalm 4:7 is annotated in the *Psalter*, but this verse is not included in the cento prayer, which does, however, employ Psalm 4:9–10, placing the verses after Psalm 7:18.

3. *English Works*, sig. UU_5.

4. For convenience, the numbering of the modern Vulgate, which breaks Psalm 9 into two parts and designates the second as "Psalm (10)," is employed here. The Massoretic text and most modern versions divide the psalm as Psalm 9 and Psalm 10.

5. Each of More's letters is given in square brackets after the psalm and verse numbers.

n, for the two consecutive parts of the verse]. As can readily be seen, the "overlay" here is too close to be accidental, even though the texts do not correspond exactly.[1] It would appear that during 1534 or early 1535 Thomas More worked out in his prayer book a tentative sequence for the composite psalm which Rastell eventually printed in 1557. In all likelihood, More either later made a more definitive list of the verses he wished to select or copied out the actual verses, indicating, as he did so, the order in which he desired them to be presented. Perhaps Rastell, working from this copy, with or without access to the prayer book itself, then devised the sequence as it was published in the *English Works*.[2]

Finally, many of the annotations themselves provide internal evidence suggesting the particular problems and circumstances of Thomas More during the last years of his life, and, specifically, during the time of his imprisonment. Four of the notes specifically mention prison, suggesting the suitability of a particular psalm for an "incarcerated" man.[3] Furthermore, the word *tribulatio* occurs, in various forms, no less than 27 times, as in the phrase *in tribulatione et timore mortis* ("in tribulation and fear of death"). Now this word, especially in such a phrase as *solacium in tribulatione,* is bound to suggest a relation with More's *Dialogue of Comfort Against Tribulation,* a work that bears every indication of having been composed in the Tower, during the last year or so of More's life. This relation becomes even more striking when we remember the dramatic situation in which More has cast his *Dialogue of Comfort,* with the setting in Hungary, where two Hungarians, nephew and uncle, discuss the problems of tribulation under the immediate threat of conquest and persecution by the Turks. It is clear that under this guise More is

1. The variations should be carefully noted: More's sequence of letters begins (sig. a₅v) with the capital letter *E* opposite 9:7, a verse which is not included in the cento prayer. Verses (10):7 and (10):9, each marked with *ff* by More, do not appear in the cento, although the absence of the latter can be explained by the recurrence of this verse at Psalm 10:5, which is marked with an *m* and *n* by More. More also puts an *l* after 10:3 and an *o* and *p* after 10:6 and 10:7, respectively; none of these verses occur in the cento prayer.

2. The relationship between the *Psalter* marginalia and the cento prayer of *1557* will be discussed in full detail in vol. 13, pt. 1 of the Yale Edition. The following list gives the order of the verses in the 1557 text for the reader who may wish to compare it with the facsimile pages: 3:2–7; 5:9–13; 7:2–3, 7:7, 7:6, 7:13–18; 4:9–10; 9:14, 9:11, 9:10, (10):1, 9:19, (10):12, (10):14, (10):17, 10:5; 11:6; 7:2; 12:1–6 (the whole psalm); 15:1–2; 16:5, 16:7; 15:8–9; 17:29–32; 21:7–8, 21:10–12, 21:20; 22:4; 24:1–3, 24:7, 24:11, 24:15, 24:17–18; 26:3–4, 26:7–9, 26:13–14; 27:1; 29:5–6, 29:8–10; 30:2–6, 30:10–18, 30:20; 32:18–22; 33:6, 33:8–11, 33:19; 35:8–10; 37:2–23 (the whole psalm); 38:2–14 (the whole psalm); 39:5–6, 39:12–14, 39:17–18; 41:2–12 (the whole psalm); 45:2–6; 50:3–21 (the whole psalm); 54:2–7, 54:23; 61:2–4, 61:6–13; 62:2–12 (the whole psalm); 66:2–7 (the whole psalm).

3. 24:15, 68:34, 83:2 and 87:5. The references given here and in subsequent notes refer to the psalm and verse (Vulgate numbering) next to which More's marginalia are written.

implying the threat to certain Christian doctrines and to certain Christians closer home, under the power of Henry VIII.[1]

Among More's annotations to the Psalms are six references to verses to be used *contra turcas:*[2] "against the power of the Turks." The most striking of these may be translated, "to be said in [time of] tribulation by the faithful among the Hungarians when the Turks grow strong and many Hungarians fall away into the false faith of the Turks." This long comment about the "Hungarians" occurs at the beginning of the following strongly marked passage from Psalm 68 (7–21):[3]

> Let them not be ashamed upon me, which expect thee, O Lord, Lord of
>   hosts,
> Let them not be confounded upon me that seek thee, O God of Israel.
> Because for thee have I sustained reproach, confusion hath covered my
>   face.
> I am become a foreigner to my brethren, and a stranger to the sons of my
>   mother.
> For the zeal of thy house hath eaten me: and the reproaches of them that
>   reproached thee fell upon me.
> And I covered my soul in fasting: and it was made a reproach to me.
> And I put haircloth my garment: and I became a parable to them.
> They spake against me that sat in the gate; and they sung against me that
>   drank wine.
> But I [make] my prayer to thee, O Lord, [in] a time of thy good pleasure,
>   O God.
> In the multitude of thy mercy hear me, in the truth of thy salvation.
> Draw me out of the mire, that I stick not fast: deliver me from them that
>   hate me, and from the depths of waters.
> Let not the tempest of water drown me, nor the depth swallow me:
>   neither let the pit shut his mouth upon me.
> Hear me, O Lord, because thy mercy is benign; according to the multi-
>   tude of thy commiserations, have respect to me.
> And turn not away thy face from thy servant: because I am in tribulation,
>   hear me speedily.

1. For a fuller discussion, see Louis L. Martz, "The Design of More's *Dialogue of Comfort,*" *Moreana,* nos. 15–16 (1967), 331–46, especially pp. 339–41.

2. The total is seven if one includes the reference to "Mohammed" at 79:14. The other marginalia occur at 16:18, 68:7, 79:4, 82:2, 84:2, and 93:2.

3. All of the English translations of the psalms given here are taken from the Douay-Rheims version of 1609, which was based directly on the Vulgate text. We have modernized spelling and punctuation.

> Attend to my soul, and deliver it: because of mine enemies, deliver me.
>
> Thou knowest my reproach, and my confusion, and my shame.
>
> In thy sight are all they that afflict me: my heart hath looked for reproach and misery.
>
> And I expected somebody that would be sorry together with me, and there was none: and that would comfort me, and I found not.[1]

Can we doubt that Thomas More, as he meditates upon this psalm, is thinking of the problems of faith and infidelity in England, as well as in Hungary? These annotations concerning the "Turks" seem to provide the germ from which the dramatic setting of the *Dialogue of Comfort* has developed.

Further relationships between the annotations and More's personal situation will be considered in the following section. From the evidence thus far presented, however, we may say that the authenticity of the marginalia in both *Psalter* and *Book of Hours* is firmly established and that there is every probability that they date from the period of More's imprisonment in the Tower.

II. Placement, Content, and Significance.

Thomas More's marginalia in the *Book of Hours* portion of his prayer book consist solely of the 37 verses which compose his "Godly Meditation." The first 36 verses of this psalm-like prayer are written, two verses per page, in the top and bottom margins of 18 consecutive pages (sigs. c_1-d_1v, fols. xvij-xxv^v). The final long verse, which forms a kind of coda to or commentary on the prayer proper, is placed at the bottom of sig. d_2 (fol. xxvj). More's choice of the pages upon which he placed his prayer was by no means accidental: the leaves that it covers comprise exactly the hours of prime, terce, and sext (6:00 A.M., 9:00 A.M., and noon) in the office of the Virgin; moreover, the printed text includes not only the prayers, hymns, and psalms said in that office, but also the additional devotions known as the Hours of the Cross *(Horae de Cruce)* which were usually appended to it. The first page of prime bears a large woodcut of the nativity scene (sig. c_1), and it is thus with the birth of Christ that More's own prayer commences, "Gyve me thy grace good lord." The last verse of More's prayer, excluding his coda, is placed at the foot of the final page (sig. d_1v) for the hour of sext, which shows a woodcut of Christ carrying His cross. The text reads, "Hora sexta iesus est cruci conclauatus" (at the sixth hour Jesus was nailed to the cross), and the page concludes with a prayer that Christ's death may save the sinner. By being written in psalm-like pairs, one half at the top of a page and the second half at the bottom,

---

1. It is important to note that More's marginal line stops just before verse 22, for this verse is reserved for Christ: "And they gave gall for my meat, and in my thirst they gave me vinegar to drink."

More's psalm, as we might well call it, thus gives the effect of embracing all the events of Christ's life, from birth up to the beginning of the crucifixion at the sixth hour.

This point emerges clearly if we read the prayer through, noting the pictures in the *Book of Hours* which More's lines enclose. Here is a modern-spelling version of the "Godly Meditation," with the woodcuts noted as they occur in the printed text:

Give me thy grace, good Lord,
[Large woodcut of the Nativity]
To set the world at nought;

To set my mind fast upon thee,
And not to hang upon the blast of men's mouths;

To be content to be solitary;
Not to long for worldly company;

Little and little utterly to cast off the world,
And rid my mind of all the business thereof;

Not to long to hear of any worldly things,
But that the hearing of worldly phantasies may be to me displeasant;

Gladly to be thinking of God,
[Small woodcut of Jesus before Pilate]
Piteously to call for his help;

To lean unto the comfort of God,
Busily to labor to love him;

To know mine own vility [vileness] and wretchedness,
[Large woodcut of the Angel appearing to the shepherds]
To humble and meeken myself under the mighty hand of God;

To bewail my sins passed;
For the purging of them patiently to suffer adversity;

Gladly to bear my purgatory here;
To be joyful of tribulations;

To walk the narrow way that leadeth to life,
To bear the cross with Christ;

To have the last thing in remembrance,
[Small woodcut of the Crowning with Thorns]
To have ever afore mine eye my death that is ever at hand;

To make death no stranger to me,
To foresee and consider the everlasting fire of hell;

To pray for pardon before the judge come,
[Large woodcut of the Visit of the Magi]
To have continually in mind the passion that Christ suffered for me;

For his benefits uncessantly to give him thanks,
To buy the time again that I before have lost;

To abstain from vain confabulations,
To eschew light foolish mirth and gladness;

Recreations not necessary—to cut off;
Of worldly substance, friends, liberty, life and all, to set the loss
    at right nought for the winning of Christ;

To think my most enemies my best friends;
[Small woodcut of Christ carrying the Cross]
For the brethren of Joseph could never have done him so much good
    with their love and favor as they did him with their malice and hatred.

These minds [thoughts] are more to be desired of every man than all the
    treasure
        of all the princes and kings, christian and heathen, were it
        gathered and laid together all upon one heap.

Thus the three large woodcuts illustrate scenes from the first part of Christ's life, while the three alternating smaller ones, which relate to the Hours of the Cross, speak vividly of its end. More's prayer wreathes itself around the group, suggesting, by the position of its verses, its central theme—the imitation of Christ's life as the greatest spiritual exercise in which the true Christian can engage.

Enclosed within the lines of More's own psalm are also the psalms that form part of this traditional service of private meditation.[1] These psalms provide the thoughts from which More's own psalm seems to arise, or which his prayer seems to include, words such as these from Psalm 117 (6–9) which occur on the third page of More's prayer:

Our Lord is my helper: I will not fear what man can do to me.
Our Lord is my helper: and I will look over my enemies.
It is good to hope in our Lord, rather than to have confidence in man.
It is good to trust in the Lord, rather than to hope in princes.[2]

1. The following psalms occur in the office for the three hours covered by More's prayer: prime, psalms 53, 116, and 117; terce, psalms 119, 120, and 121; sext, psalms 122, 123, and 124. Interestingly enough, none of these psalms were annotated by More in his *Psalter*.

2. The 1609 Douay-Rheims version translates the Latin *principibus* as "man," an error probably caused by the occurrence of the latter word in the preceding line.

As the rubric in the *Book of Hours* says with regard to Psalm 53 (sig. c₁v), lines such as these may well "teach the just man to praise God in adversity" *(docetur vir iustus in aduersis laudare deum).* By meditation on the words of the psalmist, More strengthened himself to endure his end, reaching at last the state of mind that he witnesses in his own psalm, written on the margins of these pages.

The finished quality of the "Godly Meditation" stands in sharp contrast to the marginalia which More wrote in his *Psalter.* It may well be that the English prayer was composed after the *Psalter* annotations,[1] and that it sums up the fruits of More's meditation on the verses of the latter volume. We may be certain, in any event, that meditation on the psalms was a spiritual exercise which More himself both advocated and practiced. In the second book of his *Dialogue of Comfort* he speaks feelingly on the subject:

> Speciall verses may there be drawen oute of the Psalter, against the devilles wicked temptacions. As for example *Exurgat deus & dissipentur inimici eius, & fugiant qui oderunt eum a facie eius.* And many other, whiche are in suche horrible temptacion [to suicide] to God pleasaunt, and to the deuill verye terrible.[2]

The last two books of the *Dialogue* are in fact developed as a complex meditation on Psalm 90, with its warnings against "the fear of the night," "the arrow flying in the day," and "the business walking in the darkness." More knew the psalms thoroughly, perhaps almost by heart, and his works are tesselated with quotations from or allusions to them.

The *Psalter* portion of the prayer book contains 151 verbal annotations on the text of the psalms.[3] More's first comment refers to Psalm 3:2, his last to Psalm 105:37. Psalm 30 receives six annotations, Psalms 26, 34, 54, 68, and 72 five each; Psalms 24, 55, 56, and 70 are annotated four times and Psalms 3, 7, 21, 48, and 67 three times. Many other psalms carry two annotations. At least seven of the marginalia[4] definitely refer to whole psalms and another six[5] probably do. But these marginalia, taken by themselves, do not tell the whole story of how More used his *Psalter.* In addition to his verbal comments on the psalms, he also drew lines down the margin of the text, indicating that the

1. Such an order of composition is indicated by Rastell's arrangement of the "Deuout Instruccions" in the *English Works,* where the cento prayer immediately precedes the "Godly Meditation."

2. *English Works,* sig. GG₃v. More quotes Psalm 67:2. In his prayer book this verse is annotated, "contra demonum insidias et insultus."

3. The count is exact, but it does not include the 16 letters which More placed in the margin of Psalm 9.

4. 12:1, 37:2, 59:3, 61:2, 63:2, 83:2, 84:2.

5. 6:2, 29:2, 36:1, 58:2, 68:2, 82:2.

verses so marked were to be specially emphasized. Sometimes these vertical strokes relate directly to one of the marginalia; in other cases they either appear in isolation or are combined with More's other mark of emphasis, a flag-like figure which appears frequently in various shapes and sizes. In many cases this latter mark resembles a musical note, similar to those which occur in the musical staves of the *Psalter* text. Conjecture here becomes mildly whimsical, but it might be suggested that the flags were modeled by More, with a typical play of wit, on the musical "notes" of his prayer book.[1]

More's vertical lines and flags in the margin begin before his verbal comments and continue for some time after the marginalia proper cease. The first flag appears on sig. a_1 (Psalm 1) and there are five on sig. a_1v (Psalm 2). More wrote his last verbal annotation on sig. l_4v (Psalm 105), but he marked 10 more pages with flags and/or marginal lines, the last mark (a single flag) coming at sig. m_8 (Psalm 118:53). Why, we may well ask, do the annotations cease and the marks dwindle off so sharply after Psalm 105? It seems most likely that More did not find the psalms in the later portion of the *Psalter* so applicable to his personal situation as the earlier ones had been. Traditionally, the 150 psalms were divided into five books on the model of the Pentateuch.[2] Modern biblical scholars analyze the psalter in various ways, but there is general agreement that three main groupings can be clearly discerned. Thus Psalms 1–40, 41–88, and 89–150 form three divisions. In the first division come most of the intensely personal psalms; in the second occur most of the national psalms (prayers in times of calamity and thanksgivings for deliverance); in the final group are found the liturgical psalms of praise or thanksgiving for Temple use. The psalms most relevant to More's own plight would thus be contained in the first two-thirds of the psalter.

This impression is borne out by the pattern which the marginalia themselves assume from about Psalm 88 to Psalm 105. In the earlier psalms More's notes speak mainly of temptation and sin, of the attacks of the *demones,* and of the effort of the individual soul to obtain spiritual consolation. "Tribulation" is a constant theme. Perhaps the climax of this movement comes with the annotation at Psalm 87:5–10:

> I am accounted with them that descend into the lake: I am become as
> a man without help,

1. N. R. Ker informs us these flag-like marks of emphasis are most unusual in sixteenth-century manuscripts. They may represent More's rendering of the monogram for "Nota" (𝄞) found often elsewhere. Interestingly enough, six sets of double flags occur in MS. Royal 17. D. xiv (fols. 327v, 341v, 342, 346v, 347v, and 358v), a manuscript which undoubtedly emanated from the More circle in the early 1550s.

2. The books were usually arranged as follows: Book I, Psalms 1–40; Book II, Psalms 41–71; Book III, Psalms 72–88; Book IV, Psalms 89–105; Book V, Psalms 106–150. For a discussion, see A. F. Kirkpatrick, *The Book of Psalms* (Cambridge, 1921), pp. xvii-xviii and l-lix.

Free among the dead. As the wounded sleeping in the sepulchres, of
    whom thou art mindful no more: and they are cast off from thy hand.
They have put me in the lower lake: in the dark places, and in the shadow
    of death.
Thy fury is confirmed upon me: and all thy waves thou hast brought in
    upon me.
Thou hast made my familiars far from me: they have put me abomination
    to themselves. I was delivered,[1] and came not forth,
Mine eyes languished for poverty. I cried to thee, O Lord, all the day: I
    stretched out my hands to thee.

In the margin here More wrote the words "in tribulatione uehemente et in
carcere" (in severe tribulation and in prison). Yet the very next annotation
strikes a new theme that is repeated three more times before the marginalia
end. At Psalm 88:7 More writes "maiestas dei" next to the verse, "For who in
the clouds shall be equal to our Lord," and he uses the same words again at
95:4, 96:1, and 103:32.[2] Coupled with this group of annotations are others
which reflect a similar, more public and more optimistic, strain—"ut opus
prosperet deus" (89:17), "de protectione dei" (90:1), and "misericordia dei"
(102:11). The progress of More's meditations, in other words, has followed
that of the psalmist, out of the depths into a new trust and confidence.

This is not, however, the dominant note in the main body of the marginalia,
those, that is, which refer to the first 87 psalms. The basic pattern of More's
meditations can be seen in a negative way if one observes how he carefully re-
frains from commenting on those psalms which are not directly relevant to his
personal situation. Thus he writes no notes on Psalms 1 and 2, which serve as a
kind of general introduction to the psalter; he skips Psalms 8 and 18 entirely,
for he is not immediately interested in their hymns of praise to the Creator.
Psalm 23, an antiphonal psalm, is left unannotated, and so is Psalm 28, a com-
memoration of God's works. The pattern continues to develop as Psalms 32
and 33, 42 and 44, and 46 and 47 are also left without marginal comment.[3]
The annotations, it appears, are the work of a man deeply absorbed in problems of personal conscience, a man "in tribulation" who struggles to reconcile
his lot with his faith and his hope.

Although opinions may vary on the degree of personal, or autobiographical,
relevance carried by the marginalia, there can be little doubt that at least

---

1. "I was betrayed" is perhaps a better rendering of the Vulgate's "traditus sum." The translation of the Jerusalem Bible makes the point even clearer: "in prison and unable to escape."

2. The phrase "maiestas dei" had not been used by More in the earlier marginalia.

3. Some of the psalms which receive no verbal annotation are of course marked with lines or
flags next to particular verses, but it is nevertheless clear that More did not emphasize their im-
port to any great extent.

some of them show us the Thomas More whom we know so well from other sources. The six annotations which emphasize the utility of the psalms against the Turkish threat have already been mentioned, as have those which specifically refer to prison. At Psalm 34:15 More speaks of the hair shirt and fasting as weapons against the taunts of the devil; both ascetic practices were daily features of his spiritual life. Several of the notes (e.g. 26:12, 64:4) recommend certain psalms as useful against "calumnia," the false accusations and slander which formed so large a part of the suffering of "the king's good servant." Other striking comments in this vein come with the series of nine "pro rege" notes,[1] some of them decidedly ironic as they suggest a contrast between the "pious and suppliant" king praised by the psalmist and the less than humble monarch for whom More could still pray. To some extent at least, as he merged his own words with those of the persecuted David, Thomas More must have been tempted to wonder if Saul too, irascible and petulant, did not reign again in the new Israel.

But the marginalia that suggest More's plight most fully to us are those which, taken with the verses of the psalm they accompany, show him reflecting on his isolation from his friends and family. Next to Psalm 30:12–14, More wrote the words "in infamia et periculo" (in infamy and danger); the verses read:

> Above all mine enemies I am made a reproach, both to my neighbors exceedingly and a fear to my acquaintance. They that saw me, fled forth from me.
> I am forgotten, from the heart as one dead. I am made as a vessel destroyed.
> Because I have heard the reprehension of many that abide round about.

And at Psalm 37:12–20 comes the most revealing of all the marginalia, a long note by More which may be translated as follows:

> A meek man ought to behave in this way during tribulation; he should neither speak proudly himself nor retort to what is spoken wickedly, but should bless those who speak evil of him and suffer willingly, either for justice' sake if he has deserved it or for God's sake if he has deserved nothing.

This comment is written opposite these verses:

> My friends and my neighbors have approached, and stood against me. And they that were near me stood far off.
> And they did violence which sought my soul. And they that sought me evils, spake vanities, and meditated guiles all the day.

1. 19:10, 20:2, 60:7, 71:2, 74:2, 74:5, 75:5, 75:7, 88:23.

But I, as one deaf, did not hear: and as one dumb not opening his mouth.

And I became as a man not hearing, and not having reproofs in his mouth.

Because in thee, O Lord, have I hopes: thou wilt hear me, O Lord, my God.

Because I said: Lest some time mine enemies rejoice over me: and whilst my feet are moved, they speak great things upon me.

Because I am ready for scourges: and my sorrow is in my sight always.

For I will declare my iniquity: and I will think for my sin.

But mine enemies live, and are confirmed over me: and are multiplied that hate me unjustly.

Clearly Thomas More has based his silence during the period of his trial upon the principle expressed in this psalm, and also in Psalm 38, where he has marked the first four verses with the comment, *maledictis abstinendum* ("evil words are not to be employed"):

I have said: I will keep my ways: that I offend not in my tongue.

I have set a guard to my mouth, when the sinner stood against me.

I was dumb and humbled, and kept silence from good things: and my sorrow was renewed.

My heart waxed hot within me: and in my meditation a fire shall burn.

All these thoughts are in accord with what More told his daughter Margaret in August 1534: "Ther is no man liuing, of whom while he liueth, I may make myself sure." This was indeed, as he reminded her, "a case in which a man may lese his head and haue no harme."[1]

Not all of More's *Psalter* marginalia take us so close to the heart of his own "great matter." Some of his comments seem merely incidental, casual observations like "flatterer" (54:22) or "exultation" (56:9). We recognize the man when he agrees with the psalmist about the treacherous nature of riches (48:17) or the false prosperity of the wicked (34:19 and 36:1), but comments like these are more general than personal. In many of the marginalia More shows that he was thinking not merely of his own suffering, but also of the public realm, that "whole body of Christendome"[2] to which he felt himself to be united. Thus he notes that Psalm 59 is a suitable prayer "for the people in time of plague, famine, war or other tribulation," calamities which he himself did not face, and he marks Psalm 78:5 as efficacious "pro christiano populo." Psalm 83, so runs More's comment, has a very wide application; it is "a prayer of a man who is shut up in prison, or of one who lies sick in bed, yearning to go to church, or of *any* faithful man who yearns for heaven." Faced

1. Rogers, *The Correspondence of Sir Thomas More*, pp. 521 and 530.
2. Ibid., p. 524.

with death, and possibly with torture, More could nevertheless see himself as but one among the many who had prayed over the psalms for centuries. His final annotation reminds us of the man who concerned himself so much with his children's education, but it is applied universally, for all parents; More deftly generalizes Psalm 105:37, "And they immolated their sons, and their daughters to devils" (one count in a long indictment of the sins of the Israelites), by commenting, "This they do who bring up their children badly."

Yet the central theme of the marginalia remains poignantly personal as they reflect, again and again, the battle between the *demones* on the one hand and the forces of good on the other. More uses the words *demon* or *demones* 40 times in his notes, and it is surely significant that he identifies these evil spirits not merely with the traditional devils but also, following the psalmist, with the all too human enemies that encompass him. At Psalm 54:24, for example, which speaks of "bloody and deceitful men," he writes "demones" in his book, and he identifies the "inimicis" of Psalm 58:2 as "uel demones uel malos homines." When More wishes to refer specifically to Satan, he uses the singular (and etymologically correct)[1] word *diabolus,* but he employs this form only three times in the course of his annotations. He had no illusions about the nature of the evil which he was confronting, for he knew all too well that men as well as devils beset him, enemies like those which he described in his note to Psalm 57:2, "hypocrites, who speak of justice, and who judge unjustly or act iniquitously."

To read the marginalia now, over 400 years after More wrote them, is to relive with him the anxious agony that was his as he meditated on his prayer book. His faith, in himself as well as in God, is never really in doubt, for, poised against the many annotations that mention tribulation, spiritual wickedness, temptation, and demons, are others that pray for consolation, help, hope, and trust. The typical pattern, which can be found in several sequences of the notes, is that which occurs in the five marginalia next to Psalm 26. Beside the first two verses,

> Our Lord is my illumination and my salvation; whom shall I fear?
>> Our Lord is the protector of my life: of whom shall I
>> be afraid?
> Whilst the harmful approach upon me to eat my flesh,
>> mine enemies that trouble me, themselves are
>> weakened, and are fallen,

---

1. For the etymologies of *demon* and *diabolus,* see the *Oxford English Dictionary.* The former term had both a good and bad connotation, the Socratic *daimon* or the evil spirits which plagued men. More's three uses of "diabolus" occur at 30:9, 60:4, and 72:1.

More wrote "fiducia" (verse 1) and "demones" (verse 2). Then at verse 12, "Deliver me not into the souls of them that trouble me, because unjust witnesses have risen up against me, and iniquity hath lied to itself," he entered "calumnia" in the margin. For verse 13, "I believe to see the good things of our Lord in the land of the living," he added the words "spes et fiducia," and, finally, for the last verse of the psalm, "Expect our Lord, do manfully; and let thy heart take courage, and expect thou our Lord," his comment is "patientia." The movement is stark and simple: first the opposing forces, the enemies and faith; then the "false accusation," which is compensated for immediately by an upsurge of hope and a resolute patience. The little drama played out here is of course present in the psalm itself, but More has made the psalmist's mood and feeling his own, seeing himself, enclosed in his cell, as participating in the actions performed on an ageless stage.

The Facsimile Pages

Hore beate Marie ad vsum
ecclesie Sarisburiensis.

⸿ Anno. M. ccccc. xxx.

⸿ Uenundãtur Parisijs apud Franciscũ
Regnault/ in vico sancti Jacobi/ ad signũ
Elephantis.

Refugiũ meũ dñs.

Gyue me thy grace gad lord

Ad primam de .b. Maria.   Fo.xvij.

Eus in adiutoriũ meum intende.
Dñe ad adiuuãdum me festina.
Gloria patri et filio : et spũt sctõ.
Sicut erat in prin. &c. Hymnus.
Say.   c j

to sett the world at nonght

—to foll my mynd ãƿar ʋƿƿon þẏ

Ad primam.

Eni creator spiritus / mentes tuorũ visita: imple superna gratia / que tu creasti pectora.

Memento salutis auctor / q̃ nostri quondã corporis: ex illibata virgine / nascendo formam sumpseris. Maria plena gre ꝝ c.

Gloria tibi dñe / qui natus es de virgine: cũ patre ꝗ sancto spiritu / in sempiterna secula. Amẽ. Aña. O admirabile. ps. liij. in quo docetur vir iustus in aduersis laudare deum.

Eus in nomine tuo saluũ me fac: ꝗ in virtute tua iudica me.

Deus exaudi orationem meã: auribus percipe verba oris mei.

Quoniam alieni insurrexerunt aduersum me / et fortes quesierunt animã meã: et non proposuerunt deũ ante conspectũ suum.

Ecce enim deus adiuuat me: et dominꝰ susceptor est anime mee.

Auerte mala inimicis meis: et in veritate tua disperde illos.

Uolũtarie sacrificabo tibi: et cõfitebor nomini tuo domine qm bonum est.

Qm ex oĩ tribulatione eripuisti me: ꝗ super inimicos meos despexit oculꝰ meꝰ. Gloria. ps. cxvj. i quo monet oẽs gẽtes ad laudẽ dei.

And not to hange ʋppon þẏ blaſƿ
of ... molityẏ

to be content to be solitary

De beata maria.

Laudate dominū omnes gentes: laudate eum omnes populi.

Quoniā cōfirmata est super nos misericordia eius: et veritas domini manet in eternū. Gloria. Psalmus. cxvij. in quo invitat ad laudē dei a quo homo perficitur in vtutib⁹.

Confitemini dominó quoniā bonus: quoniam in seculū misericordia eius.

Dicat nunc israel quoniam bonus: quoniā in seculū misericordia eius.

Dicat nunc domus aaron: quoniam in seculū misericordia eius.

Dicant nunc qui tument dominū: quoniā in seculum misericordia eius.

De tribulatioze invocaui dīm: et exaudiuit me in latitudine dominus.

Dominus michi adiutoz: non timebo quid faciat michi homo.

Dominus michi adiutoz: et ego despiciam inimicos meos.

Bonum est confidere in domino: qͫ confidere in homine.

Bonum est sperare in domino: qͫ sperare in principibus.

Omnes gentes circuierunt me: et in nomine dīi quia vltus sum in eos.

not to long for worldely company

c ij

lytle & litle vttrely to caste of the world

Ad primã.

Circundantes circundederunt me:et in no=
mine dñi quia vltus sum in eos.

Circundederunt me sicut apes/ & exarserũt
sicut ignis in spinis:& in nomine dñi quia vl
tus sum in eos.

Impulsus euersus sum vt caderem: et dõ=
minus suscepit me.

Foztitudo mea & laus mea dominus: et fa
ctus est michi in salutem.

Vox exultationis & salutis: in tabernacu=
lis iustozum.

Dextera dñi fecit birtutẽ dextera dñi exal=
tauit me:dextera dñi fecit birtutem.

Nõ moziar sed biuã:& nã rrabo opera dñi.

Castigans castigauit me dominus:& moz=
ti non tradidit me.

Aperite michi poztas iustitie / et ingressus
in eas confitebor dño : hec pozta dñi iusti in=
trabunt in eam.

Confitebor tibi dñe quoniam exaudisti me:
et factus es michi in salutem.

Lapidẽ quem reprobauerunt edificantes :
hic factus est in caput angult.

A domino factum est istud : & est mirabile
in oculis nostris.

Hec est dies quam fecit dominus: exulte=

And ridd my mynd of all the besynes ther

Not to long to howr of ony woordely thynges

De beata Maria.   Fo. xix.

mus & letemur in ea.

O domine saluum me fac/o dñe bene psperare:benedictus qui venit in nomie domini.

Benediximus vobis de domo domini:deus dominus & illuxit nobis.

Constituite diem solennem in condensis:vsqꝫ ad cornu altaris.

Deus meus es tu et confitebor tibi:deus meus es tu & exaltabo te.

Confitebor tibi qm exaudisti me:et factus es michi in salutem.

Confitemini domino quoniã bonus: quoniam in seculum misericordia eius.

Gloria patri. Aña. O admirabile commercium:creator generis humani/animatũ corpus sumens de virgine nasci dignatus est:& procedens homo sine semine largitus est nobis suam deitatem.   Capitulum.

IN oibus requiẽ quesiui: & in heredita te dñi morabor:tuc pcepit & dixit mihi creator oium:& qui creauit me requieuit in ta bernaculo meo. Deo gratias.℟. Aue maria gratia plena.Dominus tecũ.Aue maria.℣. Benedicta tu in mulieribus: et benedictus fructus vẽtris tui.Dñs tecũ.Gloria patri & filio & spiritui sancto.Aue maria gratia ple-

    Sax.   c iij

But that the heryng of worldely fantsyes may be to me displesant

Gladly to be thinking of god

Ad primam de cruce.

na dñs tecũ.Ʋʒᵒ.Sancta dei genitrix virgo
semper maria.℞.Intercede ꝑ nobis ad dó
minũ deũ noſtrũ.Dñe exaudi.⁊c.Oremus.

Oncede nos famulos tuos ꝗs dñe de
us perpetua mentis ⁊ corporis salú
te gaudere: et gloriosa beate marie semp vir
ginis interceſſione a preſenti liberari triſtí
tia:et eterna perfrui letitia.Per xp̄m domí
nũ noſtrũ.Amen.Pater noſter.Aue maria.

Ad primam de cruce.

Ora pria dú
ctus eſt ieſus
ad pilatũ.Falſis té
ſtimoniijs multũ ać
cuſatũ Jn collo per
cutiunt/manibus li
gatũ.Uultũ dei con
ſpuũt lumẽ celi grá
tũ.Ʋ.Adoramus te
xp̄e et benedicim⁹ ti
bi.℞.Quia p̄ sc̄ām
crucẽ tuã redemiſti
mundũ.Oremus.

Omine ieſu chriſte fili dei viui:pone
paſſionẽ crucẽ et mortẽ tuã inter iú

pituously to call for his helpe

to l8ue on to the confort of god

Ad. j. de cōpaſ. b. Marie. **FO. xx.**

diciū tuū ⁊ aīas noſtras nunc ⁊ in hoꝛa moꝛ
tis noſtre: et largiri digneris viuis miſericoꝛ
diā et gratiā / defunctis requiē et veniā / ec
cleſie tue pacē et concoꝛdiā / et nobis pctōꝛi⸗ ᴧ ſancte
bus vitā ⁊ gloꝛiā ſempiternā. Qui cū patre
et ſpū ſancto viuis et regnas deus. Per oīa
ſecula ſeculoꝛ. Amē. Gloꝛioſa paſſio dūi no
ſtri ieſu xp̄i eruat nos a doloꝛe triſti / ⁊ pduc⸗
cat nos ad gaudia paradiſi. Amē. Pr̄. Aue.

¶Ad. j. de cōpaſſione beate marie. Hymn⁹.

NOꝛa pꝛia dūa vidēs flagellatū. Svū
vnigenitū turpiter tractatum. Cola⸗
phis et alapis ſputo defoꝛmatū. Man⁹ toꝛ⸗
quēs grauiter ruit in ploꝛatū. V. Te lauda⸗
mus et rogam⁹ mr̄ ieſu chꝛiſti. Ʀ. Ut itēdas
⁊ defendas nos a moꝛte triſti. Amē. Oꝛem⁹.

DOmine ſctē ieſu / fili dulcis virginis
marie: q̄ pꝛo nobis moꝛtē in cruce to⸗
leraſti: fac nobiſcū miaꝝ tuā: et da nobis ⁊ cū
ctis cōpaſſionē tue ſāctiſſime matris deuote
recolentibus eius amoꝛe vitā in pꝛeſenti gra
tioſam: et tua pietate gloꝛiā in futuro ſempi
ternā. In qua viuis ⁊ regnas de⁹. Per oīa ſe
cula ſcℓoꝛ Amē. Thꝛenoſa cōpaſſio dulciſſi
me dei matris: pducat nos ad gaudia ſūmi
dei patris. Amen. Pater. Aue. ¶Ad tertiā.

c iiij

Byſſhly to labor to loue hym

To knyt myn hart vnto the [...]

Ad tertiam.

Eus in adiutoriũ meum intende.
Dñe ad adiuuandũ me festina.
Gloria patriᶜ filioᶜ spũi sancto.
Sicut erat in princi. Hymnus.

to humble & meken my selfe vnder the mighty hand of god

to behaue my sylynge paffed

De beata Maria. Fo.rrj.

Eni creatoz spiritus / mentes tuozu
visita: imple superna gratia / que tu
creasti pectoza.

Memento salutis auctoz / qz nostri quon=
dam cozpozis: er illibata virgine / nascendo
fozmam sumpseris. Maria plena grē ǣc.

Glozia tibi dñe / qui natus es de virgine: cū
patre q̃ sancto spiritu / in sempiterna secula.
Amen. añ. Quando nat' es. Psalmus. crir.

AD dominum cum tribularer clama=
ui: et eraudiuit me.

Domine libera animam meam a labijs ini
quis: q̃ a lingua dolosa.

Quid detur t͠bi aut quid apponatur tibi:
ad linguam dolosam=

Sagitte potentis acute: cū carbonibus de=
solatozijs.

Heu michi qz incolatus meus pzolōgatus
est / habitaui cū habitantibus cedar: multū
incola fuit anima mea.

Cum his q̃ oderūt pacē erā pacificus: cum
loquebar illis impugnabant me gratis.

Glozia patri. ǣc. Psalmus. crr. in quo mo=

Lnet fideles recurrere ad sanctos.

Euaui oculos meos in montes: vn=

ffor the purgyng of theyr patiently to
suffre aduersite

gladly to bere my purgatory here

Ad tertiam.

de veniet auxilium michi.

Auxiliũ meũ a dño:qui fecit celũ & terram.

Non det in cõmotionem pedem tuum: ne=
q̃ dozmitet qui custodit te.

Ecce non dozmitabit neq̃ dozmiet: qui cu=
stodit israel.

Dominus custodit te dñs protectio tua: su
per manũ dextera tuam.

Per diẽ sol non bzet te: neq̃ luna per noctẽ.

Dñs custodit te ab omni malo: custodiat
animam tuam dominus.

Dñs custodiat introitũ tuũ & exitũ tuũ: ex
hoc nunc & vsq̃ in seculũ. Glozia. ps. cxxj. in
quo monet ad desideriũ celestis patrie.

Etatus sum in his que dicta sunt mi
chi: in domũ domini ibimus.

States erãt pedes nři: i atrijs tuis hierłm.

Hierusalẽ que edificatur vt ciuitas: cuius
participatio eius in id ipsum.

Illuc eñ ascenderunt tribus tribus dñi: te
stimoniũ israel ad confitendũ nomini dñi.

Quia illic sederunt sedes in iudicio:sedes su
per domum dauid.

Rogate que ad pacem sunt hierusalem: et
abundantia diligentibus te.

Fiat pax in virtute tua:et abundantia in

to be ioyfull q̃ tribulacion

to walke the 2 nazalo way that ledeth to life

De beata maria.　Fo.xxij.

turribus tuis.

Propter fratres meõs et proximõs meos lo
quebar pacem de te.

Propter domũ dñi dei noſtri: queſiui bona
tibi. Oña. Añ. Quãdo nat⁹ es ineffabiliter
ex virgine/tũc implete ſunt ſcripture: ſicut
pluuia in vellus deſcẽdiſti/ vt ſaluũ faceres
gen⁹ humanũ:te laudam⁹ de⁹noſter. Cpm.

AB initio ⁊ ante ſecula creata ſum: et
Abſq̃ ad futurũ ſeculũ non deſinã: et
in habitatione ſancta corã ipſo miniſtrauí.
Deo gratias. R̃. Sancta dei genitrix virgo
ſemper maria. Sancta. V̄. Intercede pro no
bis ad dñz deũ noſtrũ. Uirgo ſemper maria.
Gloria patri. Sancta. V̄. Poſt partũ virgo
inuiolata permãſiſti. R̃. Dei genitrix inter
cede pro nobis. Dñe exaudi orationẽ meam.
Et clamor meus ad te veniat.　Oremus.

COncede nos famulos tuos q̃s dñe de
us perpetua mentis et corporis ſalute
gaudere: et glorioſa beate marie ſemper vir
ginis interceſſione/a preſenti liberari triſti
tia ⁊ eterna perfrui letitia. Per chriſtũ dñm
noſtrũ. Amen. Pater noſter. Aue maria.

CAd tertiã de Cruce.

to bere me the crosse with christ

to have thy better thing in remembraunce

Ad tertiam de cruce.

Rucifige cla\
mitant hora\
tertiarun. Illuſus\
induitur beſte pur/\
puraru. Caput eius\
pungitur corona ſpi\
naru. Crucem por\
tat humeris ad locu\
penarum. Adora\
mus te chriſte et be\
nedicimus tibi.R̃.\
Quia per ſanctam\
cruce tua redemiſti\
mundum. Oremus.   Oratio.

Omine ieſu chriſte fili dei biui: pone\
paſſionem crucem & mortem tuam in\
ter iudicium tuum et animas noſtras nunc\
et in hora mortis noſtre: et largiri digneris\
biuis miſericordiã et gratiam/defunctis re\
quiem et beniam / eccleſie tue pacem et con\
cordiam/& nobis peccatoribus bitam & glo\
riam ſempiternã. Qui cum patre et ſpiritu\
ſancto biuis & regnas deus. Per omnia ſecu\
la ſeculoruz. Amen. Glorioſa paſſio domini\
noſtri ieſu chriſti eruat nos a dolore triſti: et\
perducat nos ad gaudia paradiſi. Amẽ. Pa/

to have dore afore myn yie my dvtÿ thar yt\
                     dore at hand

to mak doth us straungr to ms

Ad.tij.de cõpaſ.b.Marie.　　Fo.xxiij.
ter noſter.Aue maria gratia plena·

¶Ad tertia de compaſſione beate Marie.

Idens virgo virginum hoꝛa tertia⸝
rum.Caput pūctum filij coꝛona ſpi⸝
narū.Crucem ~~qui fert~~ ſcapulis ad loca pe⸝ ferens
narum.Heu dôloꝛe ſternitur luto platearū.
Bſᵒ.Te rogamus et laudamus mater ieſu
chꝛiſti Bm.Ut intendas et defendas nos a
moꝛte triſti.Oꝛemus.　　　　　Oꝛatio.

Omine ſancte ieſu fili dulcisvirginis
marie:qui pꝛo nobis moꝛtem in cru⸝
te toleraſti⸝fac nobiſcū miſericoꝛdiā tuam:
et da nobis ꝗ cunctis compaſſionem tue ſan
ctiſſime matris deuote recolentibus eiᵒ amo
re vitam in pꝛeſenti gratioſam:et tua pieta
te gloꝛtam in futuro ſempiternā.Jn qua vi
uis ꝗ regnas deus.Per omnia ſecula ſeculo
rum.Amen.Thꝛenoſa cõpaſſio dulciſſime
dei matris:perducat nos ad gaudia ſummi
dei patris.Amen.Pater noſter.Aue maria.

¶Ad ſextam.

to forowe ꝫ conſidre ffeverlaſtyng fꝑe of fell

to pray for pardon byfore the Judge come

Ad sextam.

Eus in adiutoriū meum intende.
Dīe ad adiuuandū me festina.
Gloria patri et filio: et spūi sctō.
Sicut erat in principio. Hymn⁹.

tō haue continually in mynd the passion that christe
suffred for me

us his benefittys vncessauntly to gyve hym thankys ✓

De beata Maria.   Fo.xxiiij.

VEni creator spiritus / mentes tuorũ
visita: imple superna gratia / que tu
creasti pectora.

Memento salutis auctor / qp nostri quondã
corporis: ex illibata virgine / nascendo formam sumpseris. Maria plena gre & c.

Gloria tibi dñe / qui natus es de virgine: cũ
patre & sancto spiritu / in sempiterna secula.
Amen. Aña. Rubũ quẽ. Psalmus.cxxij.in
quo monet ad ascensum virtutum.

AD te leuaui oculós meos: q habitas
in celis. Ecce sicut oculi seruorũ: in
manibus dominorũ suorum.

Sicut oculi ancille in manibus domie sue:
itã oculi nostri ad dñm deum nostrum / donec misereatur nostri.

Miserere nostri domine miserere nostri: qr
multum replett sumus despectione.

Quia multũ repleta est anima nostra: opprobriũ abũdantibus et despectio superbis.

Gloria patri et filio: et spiritui sancto.

Sicut erat in principio & nunc et semper: et
in secula se. &c. Psalmus.cxxiij.in quo monet omne bonũ nostrũ deo esse ascribendũ.

NIsi quia dñs erat in nobis dicat nũc
israel:nisi quia dñs erat in nobis.

to bryng the hymu agayn that I by for have loste

to absteyne from vayne consultations

Ad tertiam. Sextā

Cum exurgerent homines in nos:forte vi‑
uos deglutissent nos.

Cum irasceretur furor eorū in nos:forsi‑
tan aqua absorbuisset nos.

Torrentē pertransiuit aīa nostra:forsitan
pertransisset aīa nostra aquā intolerabilē.

Benedictus dominus qui non dedit nos:
in captione dentibus eorum.

Anima nostra sicut passer erepta est:de la‑
queo venantium.

Laqueus cōtritus est:& nos liberati sumꝰ.

Adiutoriū nostrū in noīe dūi:qui fecit celū
& terram. Gloria pa. Sicut.&c.Psalmus.
cxxiiij.in quo monet confidere in solo deo.

Qui confidunt in domīno sicut mons
sion:non cōmouebitur in eternū qui
habitat in hierusalem.

Montes in circuitu eius / et dūs in circuitu
populi sui:ex hoc nunc & vsq̇ in seculum.

Quia non relinquet dūs virgam peccato‑
rum super sortem iustorū:vt non extendant
iusti ad iniqtatem manus suas.

Benefac domine:bonis & rectis corde.

Declinantes aūt in obligationes adducet
dominus cū operantibus iniquitatē:pax su
per israel. Gloria patri. Aña. Rubū quem

to vstow light fohith myrth & gladnoph

reruationy6 not necessary / to cut off

De beata maria.   Fo.xxv.

viderat moyses incombustum: cōseruatam
agnouimus tuā laudabilē virginitatem dei
genitrix intercede pro nobis.   Capitulum.

Et sic in sion firmata sum:τ in ciuita=
te sanctificata similiter requieui:et in
hierusalem potestas mea. Deo gratias . R̃.
Post partum virgo inuiolata permansisti.
V̄. Dei genitrix intercede pro nobis. Inuio=
lata permansisti. Gloria patri τ filio: τ spiri
tui sancto. Post partum virgo inuiolata per
mansisti. V̄. Speciosa facta es τ suauis R̃z.
In delicijs tuis sancta dei genitrix. Domi=
ne exaudi orationem meam. Et clamor me=
ad te veniat. Oremus.   Oratio.

Oncede nos famulos tuos qs d̄ñe de
us perpetua mentis τ corporis salute
gaudere: τ gloriosa beāte marie semper vir=
ginis intercessione: a presenti liberari tristi=
tia:et eterna perfrui letitia . Per christū do=
minū nostrū. Amen. Pater noster. Aue ma.

Ad sextam de cruce.

Say.   d j

worldly substannes frendy6 libertie life and all
o sett the losse at nyght nowght for the
wynnyg of christ

to thynke of my moste enemyes my best frendys

Ad sextam de cruce.

HOra sexta ie=
sus est cruci con
clauatus. Atqz cum
latronibus pendens
deputatus. Pre tor=
mentis sitiens felle
saturatus. Agn⁹ cri
men diluit sic ludifi=
catus. R⁹ Adoram⁹
te christe: et benedici
mus tibi. R3. Quia
per sanctam crucem
tuam redemisti mun=
dum. Oremus. Oratio.

DOmine iesu christe fi'i dei vtui: pone
passionē crucē et mortē tuā inter iu=
diciū tuū ꝯ aīas nostras nunc ꝯ in hora mor
tisnostre: et largiri digneris viuis misericor
diā et grattā / defunctis requiē et veniā / ec=
clesie tue pacē et concordiā / et nobis pctori=
busvitā ꝯ gloriā sempiternā. Qui cū patre
et spū sancto viuis et regnas deus. Per oīa
secula seculoꝝ. Amē. O loriosa passio dñi no
stri iesu xpi eruat nos a dolore tristi / ꝯ pdu
cat nos ad gaudia paradisi. Amē. Pater no=
ster. Aue maria gratia.

for the brethern of Joseph could never have done
hym so myche good with their love & fauor as
they did hym with their malice &
haterede.

De co̅passione beate Marie.　Fo.rrvj.

¶Ad Sertam de co̅passione beate Marie.

Ora serta respicit mater suum natu̅
Oblitum vulneribus in cruce leuatu̅
Inter fures positu̅ felle⁊ potatu̅. Illa secu̅
centies reddit eiulatum.ѵ. Te laudamus et
rogamus mater iesu christi.℞.Ut intendas
et defendas nos a morte tristi.　　Oremus.

Omine scte̅ iesu / fili dulcis virginis
marie: q̅ pro nobis morte̅ in cruce to-
lerasti:fac nobiscu̅ misa⁊ tua̅:et da nobis ⁊ cu̅
ctis co̅passione̅ tue sa̅ctissime matris deuote
recolentibus eius amore vita̅ in presenti gra
tiosam:et tua pietate gloria̅ in futuro sempi
terna̅. In qua viuis ⁊ regnas de⁹.Per oia se
cula seco̅r Ame̅. Threnosa co̅passio dulcissi
me dei matris:pducat nos ad gaudia su̅mi
dei patris. Amen.Pater noster.Aue maria.

¶Ad Nonam.

Thesse woundes ar more to be desired of
every man than all the treasure of
all the princes & kynges chisten & hethen
yf were it gatherid & layed togethir
all vppon one hepe

d ij

In dñica ad matu.j.nock.   Fo.j.

Per Aduentũ   Post epyphaniã.

Nõ auferet.B tũs b. Seruite.B tũs b

Per estatem.

Pro fidei. Beatus vir.

Ad matutinas.   Psalmus primus.

Beatus vir qui nõ abijt in cõsilio im pioꝛ: ⁊ in via pec= catoꝛũ non stetit/ et in cathedꝛa pe= stilentie non sedit.

Sed in lege domini volun= tas eius: et in lege eius medi tabitur die ac nocte.

Et erit tanꝗ lignum quod plantatum est secus decursus aquarum: quod fructum suum dabit in tempoꝛe suo.

Et folium eius non defluet:⁊ omnia que= cunꝗ faciet pꝛosperabuntur.

Non sic impij nõ sic : sed tanꝗ puluis quẽ

                • a.j.

In dñica.

pzoijcit ventus a facie terre.

Ideo non refurgunt iinpij in iudicio:neqʒ
peccatozes in confilio iuſtozum.

Quoniã nouit dominus viam iuſtozum:
et iter impiozum peribit.   Pſalmus.ij.

Quare fremuerunt gentes: et populi
meditati ſunt inania.

Aſtiterunt reges terre et pzincipes conue
nerunt inbnum:aduerſus dominum ʒ aduerſus chziſtum eius.

Dirumpamus vincula eozũ: et pzoijcia-
mus a nobis iugum ipſozum.

Qui habitat in celis irridebit eos:ʒ domi
nus ſubſannabit eos.

Tunc loquetur ad eos in ira ſua: et in furoze ſuo conturbabit eos.

Ego autem conſtitutus ſum rex ab eo ſu
per ſyon montem ſanctum eius:pzedicans
pzeceptum eius.

Dominus dixit ad me filius meus es tu:
ego hodie genui te.

Poſtula a me/ʒ dabo tibi gẽtes hereditatem tuã:et poſſeſſionẽ tuã terminos terre.

Reges eos invirga ferrea:ʒ tanqʒ vas fi-
guli confringes eos.

Et nunc reges intelligite : erudimini qui

Ad matu. ſ. nock.   Fo.ij.

iudicatis terram.

Seruite domino in timore : et exultate ei
cum tremore.

Apprehēdite diſciplinam : nequando ira-
ſcatur dominus et pereatis de via iuſta.

Cum exarſerit in breui ira eius : beati om
nes qui confidunt in eo.   Pſalmus. iij.

Omine quid mul tiplicati ſunt qui
tribulant me : multi insurgunt aduerſum me.

Multi dicunt anime mee : nō eſt ſalus ipſi
in deo eius.

Tu autē domine ſuſceptor meus es : gloria mea et exaltans caput meum.

Voce mea ad dominum clamaui : ꜩ exau
diuit me de monte ſancto ſuo.

Ego dormiui ꜩ ſoporatus ſum : ꜩ exurre-
xi quia dominus ſuſcepit me.

Non timebo milia populi circūdātis me :
exurge domine ſaluū me fac deus meus.

Quoniam tu percuſſiſti omnes aduer-
ſantes mihi ſine cauſa : dentes peccatoruꝫ
contriuiſti.

Domini eſt ſalus : et ſuper populum tuū
benedictio tua.

Non dicitur ad noctur.   Pſalmus. iiij.
                    . a. ij.

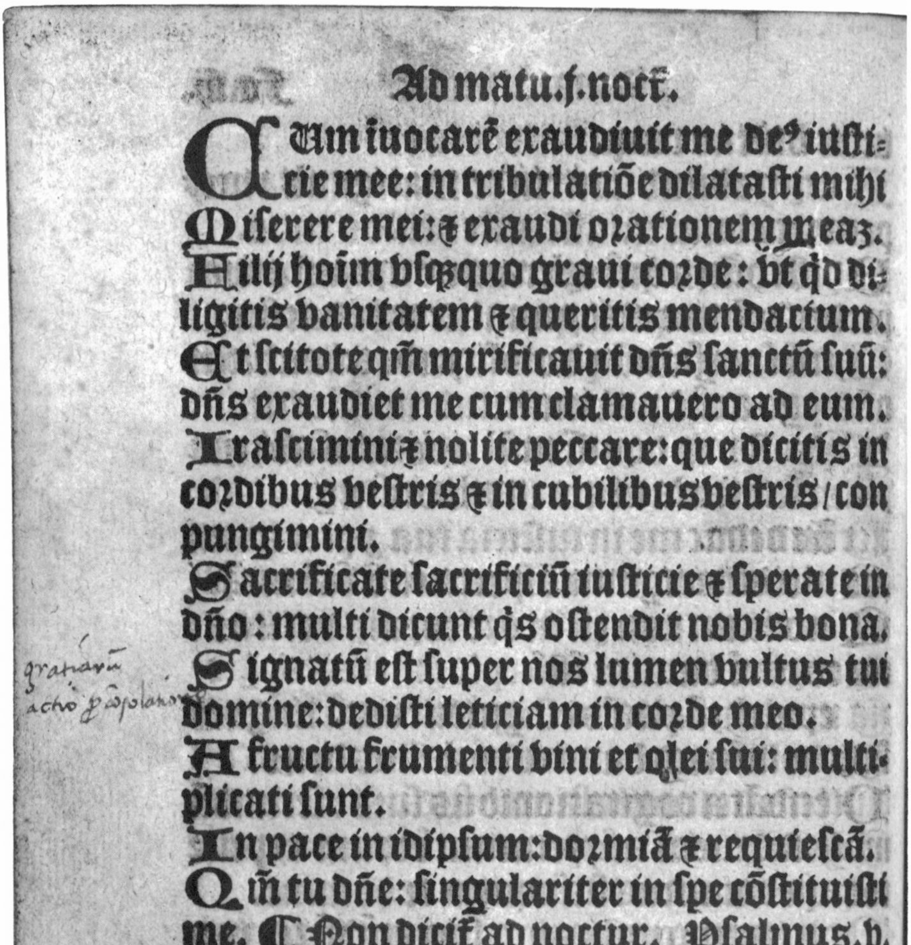

Ad matu.j.noct.

Cum inuocarē exaudiuit me de⁹ iusticie mee: in tribulatiōe dilatasti mihi
Miserere mei: ꝛ exaudi orationem meam.
Filij hoim vsqꝫquo graui corde: vt qd di-
ligitis vanitatem ꝛ queritis mendacium.
Et scitote qm mirificauit dn̄s sanctū suū:
dn̄s exaudiet me cum clamauero ad eum.
Irascimini ꝛ nolite peccare: que dicitis in
cordibus vestris ꝛ in cubilibus vestris / con
pungimini.
Sacrificate sacrificiū iusticie ꝛ sperate in
dn̄o: multi dicunt qs ostendit nobis bona.
Signatū est super nos lumen vultus tui
domine: dedisti leticiam in corde meo.
A fructu frumenti vini et olei sui: multi-
plicati sunt.
In pace in idipsum: dormiā ꝛ requiescā.
Qm̄ tu dn̄e: singulariter in spe cōstituisti
me. ¶ Non dicit ad noctur. Psalmus.v.
Verba mea auribus percipe domie:
intellige clamorem meum.
Intende voci orationis mee: rex meus et
deus meus.
Quoniam ad te orabo domine: mane ex-
audies vocem meam.
Mane astabo tibi ꝛ videbo: quoniam non

gratiarū actio p[ro] consolatione

ad matu.f.nocť.   Fo.lij.

deus volens iniquitatem tu es.

N ecp habitabit iurta te malignus : necp permanebunt iniusti ante oculos tuos.

O disti omes qui operantur iniquitatem: perdes omes qui loquuntur mendacium.

U iru sanguinu ꝫ dolosuz abominabitur dñs: ego autem in multitudine mie tue.

Introibo in domū tuā : adorabo ad tem=plum sanctum tuum in timore tuo.

D ne deduc me in iusticia tua ꝓpter inimi cos meos: dirige in cōspectu tuo biā meā.

Q uoniam non est in ore eorum veritas : cor eorum vanum est.

S epulchrū patēs est guttur eorū linguis suis dolose agebant: iudica illos deus.

D ecidāt a cogitationibus suis : secundū multitudinem impietatum eorum expelle eos / quoniam irritauerunt te domine.

E t letentur omnes qui sperant in te : inė ternum exultabunt et habitabis in eis.

E t gloriabuntur in te omnes qui diligūt nomen tuum: quoniam tu bñdices iusto.

D ne vt scuto bone voluntatis tue : coro=nasti nos. Gloria patri.   Psalmus.bj.

D Omie ne in furore tuo arguas me: necp in ira tua corripias me.

a.iij.

In dñica

Miserere mei dñe qm infirmus sum:sana me dñe quoniã conturbata sunt offa mea. Et anima mea turbata est valde:et tu domine vsqzquo.

Connertere dñe et eripe animam meam:saluũ me fac propter misericordiã tuam.

Qm non est in morte qui memor sit tui:in inferno autem quis confitebitur tibi.

Laboraui in gemitu meo:lauabo per singulas noctes lectũ meum lachrimis meis stratum meum rigabo.

Turbatus est a furore oculus meus: inueteraui inter omnes inimicos meos.

Discedite a me oẽs qui operamini iniqtatem:qm exaudiuit dñs vocem fletus mei.

Exaudiuit dñs deprecationem meam:dominus orationem meam suscepit.

Erubescant z conturbenf vehemẽter oẽs inimici mei:conuertanf et erubescãt valde velociter. Gloria Per aduentũ. Añ. Non auferetur sceptrũ de iuda et dux de femore eius donec veniat qui mittendus est.Post octa. eyppha . Añ. Seruite dño in timore. Post octa. trinitatis Añ. Pro fidei meritis vocitatur iure beatus : legem qui domini meditatur nocte diecz.

ad matu.j.noct.   Fo.iiij.

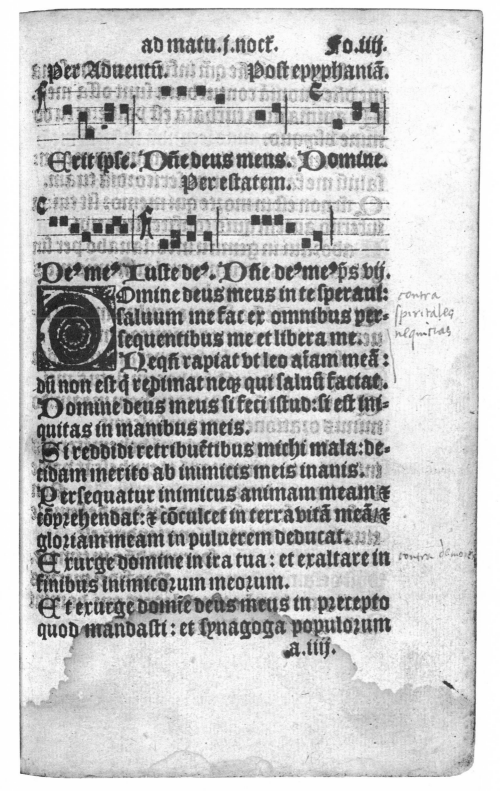

Per Aduentũ.   Post epyphaniã.

Sett ipse. Dñe deus meus. Domine.
Per estatem.

De'me' Iuste de'. Dñe de'me'ps vij.

Omine deus meus in te speraui:
saluum me fac ex omnibus persequentibus me et libera me.
Neqñ raptat vt leo aiam meã:
dũ non est q̃ redimat neq̃ qui saluũ factat.
Domine deus meus si feci istud:si est iniquitas in manibus meis.
Si reddidi retribuẽtibus michi mala:de-
cidam merito ab inimicis meis inanis.
Persequatur inimicus animam meam ⁊
cõprehendat:⁊ cõculcet in terra vitã meã/⁊
gloriam meam in puluerem deducat.
Exurge domine in ira tua: et exaltare in
finibus inimicorum meorum.
Et exurge domine deus meus in precepto
quod mandasti: et synagoga populorum
a.iiij.

In dñica

circundabit te.

Et propter hanc in altum regredere: dominus iudicat populos.

Iudica me domine secundū iusticiā meã:
et secundum innocētiam meam super me.

Consumetur nequicia peccatorū: et diri-
ges iustum scrutans corda ¬ renes deus.

Iustum adiutoriū meum a domino: qui
saluos facit rectos corde.

Deus iudex iustus fortis ¬ patiens: nunquid irascitur per singulos dies.

Nisi conuersi fueritis gladiū suum bibra
bit: arcum suum tetendit ¬ parauit illum.

Et in eo parauit vasa mortis: sagittas
suas ardentibus effecit.

Ecce parturit iniusticiam: concepit dolorem et peperit iniquitatem.

Lacum aperuit ¬ effodit eum: ¬ incidit in
foueam quam fecit.

Conuertetur dolor eius in caput eius: et
in verticem ipsius iniqtas eius descendet.

Confitebor domino secundum iusticiam
eius: ¬ psallā nomini dñi altissimi. ps. vij.

Domie dñs noster: q̃ admirabile est
nomen tuum in vniuersa terra.

Quoniam eleuata est magnificētia tua:

contra
demoue

32

ad matu. j. noc.   Fo. b.

super celos.

Ex oze infantium ⁊ lactentium perfecisti
laudē propter inimicos tuos: vt destruas
inimicum et vltozem.

Quoniã videbo celos tuos opera digito-
rum tuozũ:lunã et stellas que tu fundasti.

Quid est homo ꝙ memor es eius : aut filius hominis quoniam visitas eum.

Minuisti eũ paulo minus ab angelis:glo
ria et honoze cozonasti eum/ et constituisti
eum super opera manuum tuarum.

Omnia subiecisti sub pedibus eius : oues
et boues vniuersas/insup ⁊ pecoza campi.

Uolucres celi:et pisces maris qui peram
bulant semitas maris.

Domine dñs noster:ꝗ admirabile est nomen tuum in vniuersa terra. Psalmus. ix.

Confitebor tibi domine in toto cozde
meo:narrabo omnia mirabilia tua

Letabor ⁊ exultabo in te : psallam noī mini tuo altissime.

In conuertendo inimicum meum retro-
sum:infirmabunt ⁊ peribunt a facie tua.

Qm fecisti iudiciũ meũ ⁊ causam meam:
sedes super thronũ qui iudicas iusticiam.

Intrepasti gentes ⁊ perijt impius: nomē

In dñica.

eozum deleſti in eternū et in ſeculū ſeculí.

Inimici defecerunt framee in finem: ɺ ciuitates eozum deſtruriſti.

Perijt memozia eozum cum ſonitu: ɺ dominus in eternum permanet.

Parauit in iudicio thzonum ſuum: ɺ ipſe
iudicabit ozbem terre in equitate / iudicabit populos in iuſticia.

Et factus eſt dñs refugium pauperi: adiutoz in opoztunitatibus in tribulatione.

Et ſperent in te qui nouerūt nomē tuum:
quoniā non dereliquiſti querētes te dñe.

Pſallite domino qui habitat in ſyon: annunciate inter gentes ſtudia eius.

Quoniā requirēs ſanguinem eozū recozdatus eſt: nõ eſt oblitus clamozē pauperū.

Miſerere mei domine: vide humilitatem
meam de inimicis meis.

Qui eraltas me de poztis moztis: vt annunciem omnes laudationes tuas in poztis filie ſyon.

Erultabo in ſalutari tuo: infire ſunt gentes in interitu quem fecerunt.

In laqueo iſto quem abſconderunt: com-
prehenſus eſt pes eozum.

Cognoſcet dñs iudicia faciēs: in operib⁹

ad matu.j.nock. Fo.vj.

manuū suarū comprehensus est peccator.

Conuertantur peccatores in infernum:
omnes gentes qui obliuiscuntur deum.

Quin non in finem obliuio erit pauperis:
patientia pauperum non peribit in finem.

Exurge domine non cōfortetur homo: iu
dicentur gentes in conspectu tuo.

Constitue domīe legislatorem super eos:
sciant gentes quoniam homines sunt.

Ut quid domine recessisti longe: despicis
in oportunitatibus in tribulatione.

Dum superbit impius incenditʒ pauper:
cōprehenduntur in cōsiliis quibᵍ cogitant.

Quoniam laudatur peccator in desideriis
anime sue: et iniquus benedicitur.

Exacerbauit dominū peccator: secūdum
multitudinem ire sue non queret.

Non est deus in cōspectu eius: inquinate
sunt vie illius in omni tempore.

Auferuntur iudicia tua a facie eius: oīm
inimicorum suorum dominabitur.

Dixit enim in corde suo: non mouebor a
generatione in generationem sine malo.

Cuius maledictiōe os plenū est ʒ amari-
tudine ʒ dolo: sub lingua eiᵍ labor ʒ dolor.

Sedet in insidiis cum diuitibus in occul-

35

In dñica.

tis vt interficiat innocentem.

Oculi eius in pauperē respiciunt: insidiat in abscondito quasi leo in spelunca sua.

Insidiatur vt rapiat pauperes: rapere pauperem dum attrahit eum.

In laqueo suo humiliabit eū: inclinabit se et cadet cum dñatus fuerit pauperum.

Dixit enim in corde suo oblitus est deus: auertit faciem suam ne videat in finem.

Exurge domine deus ⁊ exaltetur manus tua: ne obliuiscaris pauperum.

Propter quid irritauit impius deum: dixit enim in corde suo non requiret.

Vides quoniā tu laborē ⁊ dolorem consideras: vt tradas eos in manus tuas.

Tibi derelictus est pauper: orphano tu eris adiutor.

Contere brachium peccatoris ⁊ maligni: queretur peccatū illius ⁊ non inuenietur.

Dominus regnabit in eternū et in seculū seculi: peribitis gentes de terra illius.

Desiderium pauperum exaudiuit dominus: preparationē cordis eorum audiuit auris tua.

Iudicare pupillo ⁊ humili: vt nō apponat vltra magnificare se hō sup terram. ps.x.

Ad matu.j.noct. Fo.vlj.

IN dño cõfido: quomõ dicitis anime mee trãfmigra in mõtê ficut paffer.

Quoniam ecce peccatozes intenderũt arcum / parauerunt fagittas fuas in pharetra: vt fagittent in obfcuro rectos cozde.

Quoniam que perfecifti deftruxerunt: iuftus autem quid fecit.

Dominus in têplo fancto fuo: dominus in celo fedes eius.

Oculi eius in pauperem refpiciũt: palpebze eius interrogant filios hominum.

Dominus interrogat iuftũ z impiũ: qui autem diligit iniquitatê odit aiam fuam.

Pluit fup pctõzes laqos: ignis / fulphur / et fpiritus pzocellarũ pars calicis eozum.

Qm iuftus dominus et iufticias dilexit: equitatem vidit vultus eius. Glozia. Añ.

Erit ipfe expectatio gentiũ lauabitcz vino ftolam fuam et fanguinebue palliũ fuum.

Añ. Domie deus meus in te fperaui. Añ.

Jufte de'iudex fortis patienfcz benign': in te fperantes munit miferãdo fideles.

Per Aduentũ. Post epyphaniã.

Pulcriozes. Salufi me fa... Refpice.

37

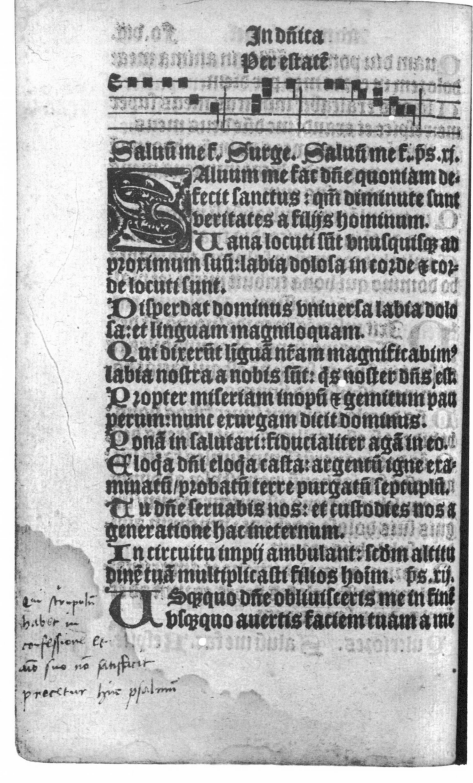

ad matu. j. noct.   Fo. viij.

Quam diu ponam cōsilia in anima mea:
dolozem in cozde meo per diem.

Vsqʒquo exaltabit inimicus meus super
me: respice et exaudi me dñe deus meus.

Illumia oculos meos ne vnqʒ obdozmiā
in mozte: nequando dicat inimicus meus
preualui aduersus eum.

Qui tribulāt me exaltabūt si motus fue
ro: ego autē in misericozdia tua speraui.

Exultabit coz meū in salutari tuo: canta
bo domino qui bona tribuit michi / et psal
lam nomini dñi altissimi.   Psalmus. xiij.

Dixit insipiēs in cozde suo: nō est de⁹.
Cozrupti sunt ʒ abominabiles fa
cti sunt in studijs suis: nō est qui faciat bo
num / non est vsqʒ ad vnum.

Dñs de celo prospexit super filios hoim:
vt videat si est intelligēs / aut reqrens deū.

Oēs declinauerūt simul iutiles facti sūt:
non est q faciat bonū / non est vsqʒ ad vnum.

Sepulchzū patens est guttur eozum / lin
guis suis dolose agebant: benenum aspi
dum sub labijs eozum.

Quozum os maledictione et amaritudi
ne plenum est: veloces pedes eozum ad ef
fundendum sanguinem.

demones

In dominica:

Contritio et infelicitas in vijs eorum / et
viam pacis non cognouerūt:non est timoz
dei ante oculos eorum.

Nonne cognoscent omnes qui operantur
iniquitatem : qui deuozant plebem meam
sicut escam panis.

Dominum non inuocauerunt: illic trepi
dauerunt timoze vbi non erat timoz.

Qm dñs in generatōe iusta est:consiliuz
inopis cōfudistis / qm dñs spes eius est.

Quis dabit ex syon salutare israel : cum
auerterit dñs captiuitatē plebis sue / exul
tabit iacob ⁊ letabitur israel.

Omine quis habitabit in taberna=
culo tuo:aut quis requiescet in mō
te sancto tuo.

Qui igreditf sine macula:⁊ opatf iusticiã.

Qui loquitur veritatem in cozde suo:qui
non egit dolum in lingua sua.

Nec fecit pzorimo suo malū:⁊ oppzobriū
non accepit aduersus pzorimos suos.

Ad nichiluz deductus est in cōspectu eius
malignus : timentes autē dñm glozificat.

Qui iurat pzorimo suo ⁊ non decipit:qui
pecuniã suam non dedit ad vsuram ⁊ mu
nera super innocentem non accepit.

ad matu.ij.noct. Fo.ix.

Qui facit hec: no monebitur in eternum.
Gloria patri. Sicut erat in pricipio. An.
pulchriores sunt oculi eius vino: z dentes
eius lacte candidiores. An. Respice z exau
di me dne deus meus. An. Surge z in eter=
num serua munimie sacro: custodioz tuos
astripotens famulos. v. Memor fui nocte:
nominis tui dne. R. Et custodiui lege tua.
   Per aduentu. Post epyphania.

Bethleem. Conserua me. Bonoru.
         Per estatem.

Conserua. Nature. Conserua me. ps.xv.
Conserua me dne quonia spera
ui in te: dixi dno deus me° es tu:
quonia bonoru meoz non eges.
Sanctis qui sunt in terra eius:
mirificauit oes infirmitates meas in eis.
Multiplicate sunt voluntates eorum: po=
stea acceleraueruunt.
Non congregabo conuenticula eorum de
                    • b.j.

In dñica

sanguinibus: nec memoz ero nominum eo
rum per labia mea.

Dñs pars hereditatis mee z calicis mei:
tu es qui restitues hereditatê meã michi.

Funes ceciderunt michi in preclaris: etenim hereditas mea preclara est michi.

Benedicam dominum qui tribuit michi
intellectum: insuper z vsqz ad noctem incre
puerunt me renes mei.

solaciũ i
tribulatione

Prouidebam dñm in conspectu meo semper: qñ a dextris est michi ne cõmouear.

Propter hoc letatũ est coz meũ z exultauit
lingua mea: insup z caro mea reqescet i spe

Qm nõ dereliques aiam meã in inferno:
nec dabis sanctũ tuũ videre cozruptionê.

Notas michi fecisti vias vite: adimplebis
me leticia cum vultu tuo / delectationes in
dextera tua vsqz in finem. Glozia. Per ad
uentũ Añ. Bethleem nõ es minima in prin
cipibꝰ iuda: ex te enim exiet dux qui regat
populũ meũ israel: ipse eni saluũ faciet po
pulum suũ a peccatis eozũ. Post octa. epy
pha. Añ. Bonoz meozum nõ indiges in te
speraui cõserua me dñe. Post octa. trinita.
Añ. Nature genitoz cõserua mozte redem
ptos / fratqz tuo dignos seruitio famulos.

ad matu.ij.nock.   fo.x.

Per aduentū.   Post epyphaniā.

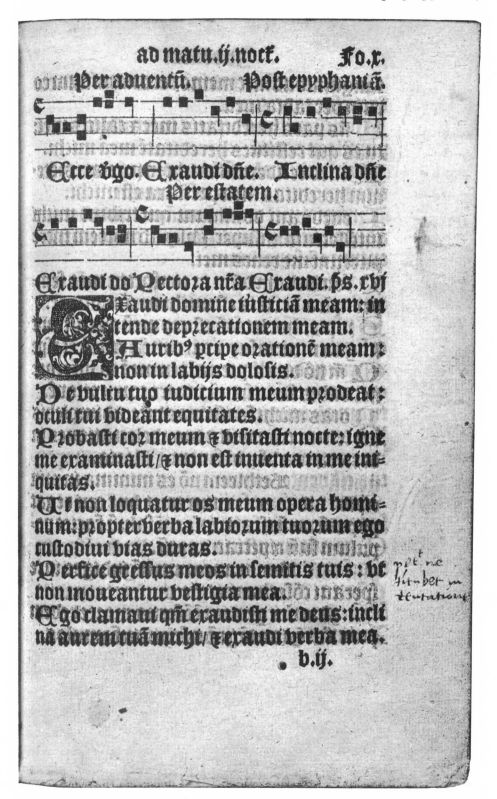

Ecce vgo. Exaudi dñe. Inclina dñe

Per estatem.

Exaudi dō Pectoza nfa Exaudi. ps. xbj

Xaudi domine iusticiā meam: in
tende deprecationem meam.
Auribᵍ pcipe orationē meam:
non in labijs dolosis.

De vultu tuo iudicium meum prodeat:
oculi tui videant equitates.

Probasti coz meum ⁊ visitasti nocte: igne
me examinasti/ ⁊ non est inuenta in me ini=
quitas.

Vt non loquatur os meum opera homi=
nū: propter verba labiozum tuozum ego
custodiui vias duras.

Perfice gressus meos in semitis tuis: vt
non moueantur vestigia mea.

Ego clamaui qm exaudisti me deus: incli
nā aurem tuā michi/ ⁊ exaudi verba mea.

b.ij.

In dnica

Mirifica misericordias tuas: qui saluos
facis sperantes in te.

A resistentibus dextere tue: custodi me vt
pupillam oculi.

Sub vmbra alarū tuaꝛ protege me: a facie impioꝛum qui me afflixerunt.

Inimici mei animā meā circundederunt
adipem suum concluserunt: os eoꝛum lo-
cutum est superbiam.

Proijcientes me nunc circundederūt me:
oculos suos statuerunt declinare in terrā.

Susceperūt me sicut leo paratus ad pdā:
et sicut catulus leonis habitās in abditis.

Exurge domie preueni eum et supplanta
eum: eripe aiam meam ab impio / frameā
tuam ab inimicis manus tue.

Domine a paucis de terra diuide eos in
vita eoꝛum: de absconditis tuis adimple-
tus est benter eoꝛum.

Saturati sunt filijs: et dimiserūt reliqas
suas paruulis suis.

Ego aūt in iusticia apparebo in cōspectu
tuo: satiabor cum apparuerit gloꝛia tua.

Gloꝛia. Añ. Ecce virgo concipiet et pariet
filiū et vocabitur nomē eius emanuel. Añ.

Inclina dñe aurē tuā michi: et exaudi ver-

oratio
christiani
populi cōtra
potentia
turchoꝛ

In dñica

I n tribulatiõe mea inuocaui dominum:
et ad deum meum clamaui.

E t exaudiuit de templo sancto suo bocem
meam: et clamoz meus in cõspectu eius in
troiuit in aures eius.

C ommota est ꝫ contremuit terra: funda
menta montiũ conturbata sunt ꝫ commo
ta sunt quoniam iratus est eis.

A scendit fumus in ira eius/ ꝫ ignis a fa
cie et⁹ exarsit: carbones succêsi sunt ab eo.

I nclinauit celos ꝫ descendit: ꝫ caligo sub
pedibus eius.

E t ascendit super cherubin ꝫ bolauit: bo
lauit super pennas bentozum.

E t posuit tenebzas latibulum suũ in cir
cuitu eius tabernaculum eius: tenebzosa
aqua in nubibus aeris.

P ze fulgoze in cõspectu eius nubes tran
sierunt: grando et carbones ignis.

E t intonuit de celo dñs ꝫ altissimus dedit
bocem suam: grando et carbones ignis.

E t misit sagittas suas et dissipauit eos:
fulgura multiplicauit et conturbauit eos.

E t apparuerunt fontes aquarũ: et reue
lata sunt fundamenta ozbis terrarum.

A b increpatione tua domine: ab inspira

In dñica

Q̃uoniã tu populũ humilẽ faluũ facies: et oculos fuperbozum humiliabis.

Q̃ in tu illuminas lucernam meã: domie deus meus illumina tenebzas meas.

Q̃ in in te eripiar a temptatione: et in deo meo transgrediar murum.

Deus meus impolluta bia eius/eloquia domini igne eraminata: pzotectoz eſt oim ſperantium in ſe.

Q̃uoniam quis deus pzeter dominũ: aut quis deus pzeter deum noſtrum.

Deus qui pzecinrit me birtute: et poſuit immaculatam biam meam.

Q̃ui perfecit pedes meos tanæ ceruozũ:⁊ ſuper excelſa ſtatuens me.

Q̃ui docet manus meas ad pzelium:⁊ poſuiſti bt arcum ereum bzachia mea.

Et dediſti michi pzotectionẽ ſalutis tuæ: et dertera tuà ſuſcepit me.

Et diſciplina tua cozrerit me in finem: et diſciplina tua ipſa me docebit.

Dila taſti greſſus meos ſubtus me: et nõ ſunt infirmata beſtigia mea.

Perſequar inimicos meos et cõpzehendã illos: et non conuertar donec deficiant.

Confringam illos nec poterunt ſtare: ca-

46

ad matu.iij.nocſ.   Fo.xv.

Impleat dñs oēs petitiões tuas: nunc co
gnoui quomā saluū fecit dñs chzistū suū.

Exaudiet illū de celo sancto suo: in poten
tatibus salus dextere eius.

Hi in currtbus et hi in equis: nos autē in
noīnine dñt deī noſtrt inuocabimus.

Ipst obligati sunt ⁊ cetderunt: nos autē
surreximus et erecti sumus.

Dñe saluū fac regem:⁊ exaudi nos in die
qua inuocauerimus te. Glozia patrt. Añ.
Hoza eſt iam nos de somno surgere⁊ aper
ti sūt oculi noſtri surgere ad xpm quia lux
bera eſt fulgens in celis. Añ. Impleat dñs
omes petitiones tuas. Añ. Auxiliū nobis
saluatoz mitte salutis/⁊ tribuas bitā tem
poze perpetuam.

　　Per aduentū.　　Post epyphaniā.

Gaudete.　Dñe in birtute. Domine.
　　　　Per eſtatem.

Ipsum.　Rex sine Dñe in btu. ps.xx.

47

pro rege.

In dñica

Omine in virtute tua letabitur
rex: et super salutare tuum exultabit vehementer.

Desideriũ cordis eius tribuisti
ei: τ volũtate labioꝛ eius nõ fraudasti eũ.

Quoniam preuenisti eum in benedictio-
nibus dulcedinis: posuisti in capite eius co
ronam de lapide precioso.

Vitam petijt a te: et tribuisti ei longitudi
nem dierum in seculũ τ in seculũ seculi:

Magna gloꝛia eius in salutari tuo: gloriam τ magnũ decoꝛẽ impones super eum.

Qm̃ dabis eũ in bñdictionẽ in seculũ sc̄li:
letificabis eum in gaudio cum vultu tuo.

Quoniã rex sperat in domio: et in misericoꝛdia altissimi non commouebitur.

Inueniatur manus tua omnibus inimi
cis tuis: dextera tua inueniat omnes qui
te oderunt.

Pones eos vt clibanum ignis in tempoꝛe
vultus tui: dominus in ira sua cõturbabit
eos/ et deuoꝛabit eos ignis.

Fructum eoꝛum de terra perdes: et semẽ
eoꝛum a filijs hominum.

Qm̃ declinauerunt in te mala: cogitauerunt consilia que non potuerunt stabilire.

In dñica

runt et liberasti eos.

A d te clamauerunt et salui facti sunt: in te sperauerunt et non sunt confusi.

E go autem sum vermis ⁊ non homo: op- probrium hominum et abiectio plebis.

O mnes videntes me deriserunt me: locu- ti sunt labijs ⁊ mouerunt caput.

S perauit in domio eripiat eum: saluū fa- ciat eum quoniam bult eum.

Q uoniam tu es qui extraxisti me de ven- tre: spes mea abvberibus matris mee in te proiectus sum ex vtero.

D e ventre matris mee deus meus es tu: ne discesseris a me.

Q uoniam tribulatio proxima est: quo- niam non est qui adiuuet.

C ircundederūt me vituli multi: tauri pin- gues obsederunt me.

A peruerunt super me os suum: sicut leo rapiens et rugiens.

S icut aqua effusus sum: et dispersa sunt omnia ossa mea.

F actum est cor meū tanq̃ cera liquescēs: in medio ventris mei.

A ruit tanq̃ testa virtus mea / et lingua mea adhesit faucibus meis: et in puluerē

i pena
cū infamia

Ad primā.　　　Fo.xbff.

moztis deduxisti me.

Q̃ m circundederunt me canes multi: consilium malignantium obsedit me.

H oderunt manus meas et pedes meos:
dinumerauerunt omnia ossa mea.

I psi vero considerauerunt τ inspexerunt
me: diuiserunt sibi vestimenta mea/τ super
vestem meam miserunt soztem.

T u autē dñe ne elongaueris auxiliū tuū
a me: ad defensionem meam conspice.

E rue a framea deus animā meam: et de
manu canis bnicam meam.

S alua me ex oze leonis: τ a cozmibus bnicozmium humilitatem meam.

N arrabo nq̃mē tuum fratribus meis: in
medio ecclesie laudabo te.

Q. ui timetis dominū laudate eum: bniuersum semen iacob glozificate eum.

T imeat eum omñe semē iscael: qm̄ nō spze
uit neqȝ desperit depzecationē pauperis.

N ec auertit faciem suam a me: τ cum clamarem ad eum exaudiuit me.

A pud te laus mea in ecclesia magna: bo=
ta mea reddā in conspectu timentiū eum.

E dent pauperes τ saturabūtur: τ lauda=
bunt dominum qui requirunt eum/biuent

c.f.

50

cozda eozum in feculum feculi.

R eminiſcentur et conuertentur ad dſim:
bniuerſi fines terre.

E t adozabunt in conſpectu eius : bniuer-
ſe familie gentium.

Q m dſii eſt regnū: ⁊ ipſe dſiabitur gentiū

M anducauerunt ⁊ adozauerunt oēs pin-
gues terre : in conſpectu eius cadent omnes
qui deſcendunt in terram

E t anima mea illi biuet: et ſemen meum
ſeruiet ipſi.

A nnunciabitur dſio generatio bentura:
et annunciabūt celi iuſticiam eius populo
qui naſcetur quē fecit dſis. Pſalmus. rbij.

D Omin⁹ regit me et nichil michi dee-
rit: in loco paſcue ibi me collocauit.

S uper aquā refectiōis educauit me: animam meam conuertit.

D eduxit me ſuper ſemitas iuſticie: ppter
nomen ſuum.

N am et ſi ambulauero in medio bmbze
moztis: non timebo mala qñ tu mecū es.

V irga tua et baculus tuus: ipſa me con-
ſolata ſunt.

P araſti in cōſpectu meo menſam: aduerſus eos qui tribulant me.

51

Ad primã.

mini poʒte eternales: ⁊ introibit rex gloʒie

Quis est iste rex gloʒie⸱dñs virtutum ipse
est rex gloʒie. Psalmus. xxiij.

AD te dñe leuaui aiam meam:deus
meus in te confido non erubescam.

demones

Neqʒ irrideãt me inimici mei:etenim vniuersi qui sustinent te non confundentur.

Cõfundanť oēs iniqua agētes:supuacue

Tias tuas domine demõstra michi:et semitas tuas edoce me.

Dirige me in ʋitate tua et doce me:qa tu
es de⁹ saluatoʒ me⁹/⁊ te sustinui tota die.

Reminiscere miserationꝫ tuaʒ dñe: ⁊ mi
sericoʒdiarum tuarum que a seculo sunt.

pro peccatis

Delicta iuuentutis mee: et ignoʒantias
meas ne memineris.

Secundũ misericoʒdiã tuã memẽto mei:
tu propter bonitatem tuam domine.

Dulcis et rectus dñs : propter hoc legem
dabit delinquentibus in via.

Diriget mãsuetos in iudicio:docebit mi-
tes vias suas.

Uniuerse vie dñi mia ⁊ veritas:requiren
tibus testamentũ eius et testimonia eius.

dᵽ penis

Propter nomen tuũ domie propiciaberis
peccato meo:multum est enim.

ad matu.   Fo.xix.

Quis est homo qui timet dominū: legem statuit ei in via quam elegit.

Anima eius in bonis demorabitur: et semen eius hereditabit terram.

Firmamentum est dominus timentibus eum: et testamentum ipsius vt manifestetur illis.

Oculi mei semper ad dūm: quoniam ipse euellet de laqueo pedes meos.

Respice in me et miserere mei: qa vnicus et pauper sum ego.

Tribulationes cordis mei multiplicate sunt: de necessitatibus meis erue me.

Vide humilitatē meam et laborem meū: et dimitte bniuersa delicta mea.

Respice inimicos meos qm multiplicati sunt: et odio iniquo oderunt me.

Custodi animam meam et erue me: non erubescam quoniam speraui in te.

Innocentes τ recti adheserūt michi: quia sustinui te.

Libera deus israel: ex omnibus tribulationibus suis. Gloria patri. Psalm⁹. xxv.

Iudica me dñe quoniā ego in innocentia mea ingressus sum: et in domino sperans non infirmabor.

                 c.iij.

Ominus illuminatio mea et sa=
lus mea:quem timebo.
Ominus protector vite mee:
a quo trepidabo.
Dum appropiant super me nocentes : vt
edant carnes meas.
Qui tribulant me inimici mei : ipsi infir=
mati sunt et ceciderunt.
Si consistant aduersum me castra:non ti
mebit cor meum.
Si exurgat aduersum me prelium:in hoc
ego sperabo.
Vnam petij a dño hãc requirã : vt inhabitẽ
in domo dñi omnibus diebus vite mee.
Vt videam volũtatem domini: ꝛ visitem
templum eius.
Qm abscõdit me in tabernaculo suo j die
maloꝛ:pterit mei abscõdito tabernacli suj
In petra exaltauit me : et nunc exaltauit
caput meum super inimicos meos.
Circuiui et immolaui in tabernaculo ei⁹
hostiam vociferationis:cantabo ꝛ psalmũ
dicam domino.
Exaudi domie vocẽ meã qua clamaui ad
te:miserere mei et exaudi me.
Tibi dixit coꝛ meũ exꝗsiuit te facies mea:
            c.iiij.

Feria.ij.

faciem tuam domine requiram.

Ne auertas faciem tuã a me : ne declines in ira a seruo tuo.

Adiutor meus esto : ne derelinquas me neck despicias me deus salutaris meus.

Quoniã pater meus ↄ mater mea reliquerunt me : dñs autem assumpsit me.

Lege pone michi dñe in bia tua : et dirige me in semita recta propter inimicos meos

Ne tradideris me in animas tribulantiũ me : quoniam insurrexerũt in me testes iniqui / et mentita est iniquitas sibi.

Credo bidere bona dñi : in terra biuentiũ.

Expecta dñm biriliter age : ↄ cõfortet cor tuum ↄ sustine dominum.   Psalmᵒ. xxvij.

Ad te dñe clamabo deus meus ne sileas a me : nequando taceas a me et assimilabor descendentibus in lacum.

Exaudi domine bocem deprecatiõis mee dum oro ad te : dum extollo manus meas ad templum sanctum tuum.

Ne simul tradas me cum peccatoribus : ↄ cum operantibus iniquitatê ne perdas me

Qui loquuntur pacem cum proximo suo : mala autem in cordibus eorum.

Da illis scdm opera eorũ : et scdm nequi-

ad matu.   Fo.xxj.

ciam adinuentionum ipsorum.

Secūdum opera manuum eorum tribue
illis: redde retributionem eorum ipsis.

Quoniā non intellexerunt opera domini/
et in opera manuum eius: destrues illos et
non edificabis eos.

Benedictus dominus: quoniam exaudiuit dominus vocem deprecationis mee.

Dūs adiutor meus et protector meus: et
in ipso sperauit cor meum et adiutus sum.

Et reflozuit caro mea: et ex volūtate mea
confitebor ei.

Dominus fortitudo plebis sue: et ptector
saluationum christi sui est.

Saluum fac populū tuum domie: z benedic hereditati tue: et rege eos z extolle illos
vsqz in eternū. Gloria patri. Añ. Dūs de-
fensor vite mee.

[handwritten marginal note: gratiarū actio de adiutorio]

Adorate dūm. Afferte dūo. ps. xxviij.

Fferte dūo filij dei: afferte domino filios arietum.

Afferte dūo gloriā z honorē / afferte domio gloriā nomini eius:

adorate dominum in atrio sancto eius.
Uox domini super aquas deus maiesta=
tis intonuit:dñs super aquas multas.
Uox dñi in vtute:vox dñi i magnificētia.
Uox domini confringentis cedros:⁊ con=
fringet dominus cedros libani.
Et comminuet eas tanq̄ vitulū libani:et
dilectus quemadmodū filius vnicorniū.
Uox domini intercidētis flammā ignis:
vox domini concutientis desertum/⁊ com=
mouebit dominus desertum cades.
Uox dñi preparantis ceruos/⁊ reuelabit
condensa:⁊ in tēplo eius oēs dicent glorā.
Dominus diluuium inhabitare facit:et
sedebit dominus rex in eternum.
Dñs virtutem populo suo dabit:dñs be=
nedicet populo suo in pace.   Psalm⁹.xxix.
Exaltabo te dñe qm suscepisti me:nec
delectasti inimicos meos super me.
Dñe de⁹me⁹ clamaui ad te:⁊ sanasti me.
Domine eduxisti ab inferno animā meā:
saluasti me a descendentibus in lacum.
Psallite domino sancti eius:⁊ confitemi
ni memorie sanctitatis eius.
Quoniam ira in indignatione eius:⁊ vi=
ta in voluntate eius.

Ad vesperū demorabitur fletus: ꝛ ad ma=
tutinum letitia.

Ego autem dixi in abundantia mea: non
mouebor ineternum.

Domine in voluntate tua: prestitisti deco
ri meo virtutem.

Auertisti faciē tuam a me: et factus sum
conturbatus.

Ad te domine clamabo: ꝛ ad deum meum
depꝛecabor.

Que vtilitas in sanguine meo: dū descen=
do in coꝛruptionem.

Nunquid cōfitebitur tibi puluis: aut an=
nunciabit veritatem tuam.

Audiuit dominus ꝛ misertus est mei: do=
minus factus est adiutoꝛ meus.

Cōuertisti plāctū meū ĩ gaudiū michi: cō=
cidisti saccū meū/ ꝛ circūdedisti me leticia.

Ut cantet tibi gloꝛia mea ꝛ nō cōpungar:
dūe deus meus ineternū confiteboꝛ tibi.

Glia patri. Sicut erat. Añ. Adoꝛate do=
minum in aula sancta eius.

In tua iusticia. In te dūe spe. ps. xxx.

Feria.ij.

N te dñe speraui non confundar
in eternũ: i iusticia tua libera me
Inclina ad me aurem tuam: ac
celera vt eruas me.

Esto michi in deum protectorem: et in domum refugij vt saluum me facias.

Quoniam fortitudo mea et refugiũ meũ
es tu: et propter nomen tuum deduces me
et enutries me.

Educes me de laqueo quem absconderũt
michi:quoniam tu es protector meus.

In manus tuas cõmendo spiritũ meum:
redemisti me domine deus veritatis.

Odisti obseruantes vanitates:supuacue.

Ego autem in domino speraui: exultabo
et letabor in misericordia tua.

Quoniã respexisti humilitatẽ meam:sal-
uasti de necessitatibus animam meam.

Nec conclusisti me in manib⁹ inimici:sta-
tuisti in loco spacioso pedes meos.

Miserere mei domine quoniam tribulor:
cõturbatus est in ira oculus meus/anima
mea et venter meus.

Quoniã defecit i dolore vita mea: ⁊ anni
mei in gemitibus.

Infirmata est in paupertate virtus mea:

[marginal notes:]
contra
insidias
demonũ

pericli
tans aut
morientiũ
oratio

ereptus
ab insidijs
diaboli

ad matu.   Fo.xxiij.

et ossa mea conturbata sunt.

Super oms inimicos meos factus sum
opprobrium vicinis meis valde: et timor
notis meis.

Qui videbāt me foras fugierūt a me: obli
uioni datus sum tanḡ mortuus a corde.

Factus sum tanḡ vas perditū: quoniam
audiui vituperationem multorū commo-
rantium in circuitu.

In eo dum conuenirent simul aduersum
me: accipere aīam meam consiliati sunt.

Ego autē in te speraui domine: dixi deus
meus es tu in manibus tuis sortes mee.

Eripe me de manu inimicorū meorum: ⁊
a persequentibus me.

Illustra faciem tuam super seruum tuū/
saluū me fac in misericordia tua: domine
non confundar quoniam inuocaui te.

Erubescant impij et deducantur in infernum: muta fiant labia dolosa.

Qui loquuntur aduersus iustum iniquitatem: in superbia et in abusione.

Qm magna multitudo dulcedinis tue do
mine: qua in abscondisti timentibus te.

Perfecisti eis qui sperant in te: in cōspectu
filiorum hominum.

[marginalia: in infamia et periculo]

[marginalia: demones]

[marginalia: cōsolatio spiritus tribulatione]

Ad primã

Abscondes eos in abscõdito faciei tue: a conturbatione hominum.

Protegas eos ĩ tabernaculo tuo: a cõtradictione linguarum.

Bñdictus dñs: qñ mirificauit misericordiam suam michi in ciuitate munita.

Ego autẽ dixi in excessu mentis mee: proiectus sum a facie oculorum tuorum.

Ideo exaudisti vocem oratiõis mee: dum clamarem ad te.

Diligite dñm ões sancti eius: qñ veritatem requiret dominus / et retribuet abundanter facientibus superbiam.

Uiriliter agite ⁊ confortetur cor vestrum: omnes qui speratis in dño. Psalmus xxxj.

Beati quor remisse sunt iniqtates: et quorum tecta sunt peccata.

Beatus vir cui non imputauit dñs peccatum: nec est in spiritu eius dolus.

Qñ tacui inueterauerũt ossa mea: dum clamarem tota die.

Quoniã die ac nocte grauata est sup me manus tua: conuersus sum in erũna mea dum configitur spina.

Delictum meum cognitum tibi feci: ⁊ iniusticiam meam non abscondi.

61

ad matu.   Fo.xxiiij.

Dixi confitebor aduersum me iniusticiã meã dño: ⁊ tu remisisti impietatẽ pcti mei.
Pro hac orabit ad te ois sanctus : in tempore oportuno.
Ueruntamen in diluuio aquarum multarum: ad eum non approximabunt.
Tu es refugiũ meum a tribulatione que circũdedit me: exultatio mea erue me a circundantibus me.
Intellectũ tibi dabo et instruam te in via hac qua gradieris: firmabo super te oculos meos.
Nolite fieri sicut equus ⁊ mulus: quibus non est intellectus.
In chamo et freno maxillas eorum constringe: qui non approximant ad te.
Multa flagella peccatoris: sperantem autem in domino misericordia circundabit.
Letamini in domino et exultate iusti: et gloriamini omnes recti corde. Gloria patri. Sicut erat. Añ. In tua iusticia libera me domine.

Rectos decet. Exultate iusti.   ps.xxxij.

Feria ſcða

Exultate iuſti in domino : rectos decet laudatio.

Confitemini dño in cythara : in pſaltio decē chozdaz pſallite illi.

Cantate ei cãticum nouum : bene pſallite ei in vociferatione.

Quia rectum eſt verbum domini : et omnia opera eius in fide.

Diligit miſericozdiam et iudicium : miſericozdia domini plena eſt terra.

Uerbo domini celi firmati ſunt : ɤ ſpiritu ozis eius omnis virtus eozum.

Congregans ſicut in vtre aquas maris : ponens in theſauris abyſſos.

Timeat dñm ois terra : ab eo autem commoueantur omnes inhabitantes ozbem.

Quoniã ipſe dixit ɤ facta ſunt : ipſe mandauit et creata ſunt.

Dñs diſſipat conſilia gentium : repzobat autem cogitationes populozum / et repzobat conſilia pzincipum.

Conſilium autem domini in eternum manet : cogitationes cozdis eius in generatione et generationem.

Beata gens cuius eſt dñs deus eius : populus quē elegit in hereditatem ſibi.

ad matu. Fo.xxb.

De celo respexit dominus:vidit omnes fi
lios hominum.

De preparato habitaculo suo:respexit su
per omnes qui habitant terram.

Qui finxit singillatim corda eoru:qui in
telligit omnia opera eorum.

Non saluat rex per multa virtute: & gygas
non saluabit in multitudine virtutis sue.

Fallax equus ad salutem: in abudantia
autem virtutis sue non saluabitur.

Ecce oculi dni super metuentes eum:et in
eis qui sperant super misericordia eius.

Ut eruat a morte animas eorum:et alat
eos in fame.

Anima nostra sustinet dominu: quonia
adiutor et protector noster est.

Quia in eo letabitur cor nostrum:& in no
mine sancto eius sperauimus.

Fiat misericordia tua dne sup nos: que
admodu sperauimus in te.Psalm9. xxxiij.

BEnedicam dominu in oni tempore:
semper laus eius in ore meo.

In domino laudabitur anima mea: au=
diant mansueti et letentur.

Magnificate dominu mecum: & exalte=
mus nomen eius in idipsum.

. d.j.

Feria.ij.

Erquisiui dñm et exaudiuit me:et ex omnibus tribulationibus meis eripuit me.

Accedite ad eum⁊illuminamini:⁊ facies beſtre non confundentur.

Iſte pauper clamauit ⁊ dominus exaudiuit eum:et ex omnibus tribulationibᵘeius ſaluauit eum.

Immittit angelus domini in circuitu timentium eum:et eripiet eos.

Guſtate et bidete quoniã ſuauis eſt dñs : beatus bir qui ſperat in eo.

Timete dñm omēs ſancti eius: quoniam non eſt inopia timentibus eum.

Diuites eguerunt et eſurierũt: inquirentes autē dñm non minuentur omni bono.

Venite filij audite me:timoꝛē domini docebobos.

Quis eſt homo qui bult bitã: diligit dies bidere bonos.

Pꝛohibe linguam tuam a malo: et labia tua ne loquantur dolum.

Diuerte a malo⁊ fac bonum:inquire paтem et perſequere eam.

Oculi domini ſuper iuſtos : et aures eius ad pꝛeces eoꝛum.

Tultus autem dñi ſup facietes mala: bt

perdat de terra memoziam eozum.

Clamauerunt iusti z dñs eraudiuit eos:
et er omnibus tribulationibus eozum libe
rauit eos.

Iurta est dñs his qui tribulato sunt coz-
de:et humiles spiritu saluabit.

Multe tribulationes iustozum: et de om=
nibus his libera bit eos dominus.

Custodit dominus omnia ossa eozu: vnu
er his non conteretur.

Mozs peccatozum pessima:z qui oderunt
iustum delinquent.

Redimet dominus animas seruozu suorum: et non delinquent omnes qui sperant
in eo. Osla patri et filio. Sicut erat. Añ.
Rectos decet collaudatio.

Erpugna. Iudica dñe. Psalm'.rrriiij.
Iudica domie nocentes me:expu-
gna impugnantes me.
Apprehêde arma et scutu:et er-
urge in adiutozium michi.
Effunde frameam et conclude aduersus
eos qui psequuntur me: dic anime mee sa=
        d.ij.

Feria.ij.

lus tua ego sum.

Confundantur et reuereantur: querentes animam meam.

Auertantur retrorsum ꝫ confundantur: cogitantes michi mala.

Fiat tanꝗ puluis ante faciē venti: et angelus domini coartans eos.

Fiat via illoꝛū tenebꝛe et lubꝛicum:ꝫ angelus domini persequens eos.

Quoniam gratis absconderunt michi interitum laquei sui: superuacue expꝛobꝛaueruut animam meam.

Veniat illi laqueus quem ignoꝛat: et captio quam abscondit appꝛehendat eum/et in laqueum cadat in ipsum.

Anima autem mea exultabit in domio:ꝫ delectabitur super salutari suo.

Omnia ossa mea dicēt:dñe qs similis tui.

Eripiens inopem de manu foꝛtioꝛū eius: egenū et pauperem a diripientibus eum.

Surgentes testes iniqui:que ignoꝛabam interrogabant me.

Retribuebant michi mala pꝛo bonis:sterilitatem anime mee.

Ego autem cum michi molesti essent: induebar cilicio.

ad matu.　　　　　　Fo.xxvij.

Humiliabam in ieiunio animã meam: et bratio mea in sinu meo conuertetur.

Quasi proximũ quasi fratrem nostrum sic complacebam: quasi lugens et cõtristatus sic humiliabar.

Et aduersum me letati sunt ⁊ cõuenerũt: cõgregata sunt sup me flagella ⁊ ignoraui

Dissipati sunt nec cõpuncti: temptauerũt me/subsannauerũt me subsannatiõe frenduerunt super me dentibus suis.

Dñe quãdo respicies: restitue aiam meã a malignitate eoꝛũ/a leonibus vnicã meã.

Cõfitebóꝛ tibi in ecclesia magna: in populo graui lãdabo te.

Non supergaudeant michi qui aduersantur michi inique: qui oderunt me gratis et annuunt oculis.

Qm michi quidẽ pacifice loquebanꜩ: ⁊ in iracundia terre loquẽtes/dolos cogitabãt

Et dilatauerunt super me os suum: dixerunt euge euge viderunt oculi nostri.

Uidisti domine ne sileas: domine ne discedas a me.

Exurge ⁊ intẽde iudicio meo: deus meus et dominus meus in causam meam.

Iudica me secundũ iusticiã tuã dñe deus

　　　　　　　　　　　　d.iij.

Marginal annotations (manuscript):

demones insultãt sed humilem vtcumq oderãt ⁊ eũdẽ et precãt

demones etiã forsã asperitate blandiũtur

Feria.ij.

meus: et non supergaudeant michi.

Non dicant in cordib? suis euge euge ant
me nostre: nec dicant deuorabimus eum.

Erubescãt et reuereantur simul: qui gra-
tulantur malis meis.

Induantur confusione et reuerentia: qui
maligna loquuntur super me.

Exultent z letentur qui volunt iusticiam
meam: et dicant semper magnificetur dominus qui volunt pacem serui eius.

Et lingua mea meditabitur iusticiã tuã:
tota die laudem tuam. Psalmus.xxxv.

Dixit iniustus vt delinquat in semet-
ipso: nõ est timor dei ante oclos ei?.

Qm dolose egit in cõspectu eius : vt inueniatur iniquitas eius ad odium.

Verba oris eius iniqtas et dolus: noluit
intelligere vt bene ageret.

Iniqtatẽ meditatus est in cubili suo: asti-
tit oĩ vie non bone malicia autẽ nõ odiuit.

Domine in celo misericordia tua: et veritas tua vsq; ad nubes.

Iusticia tua sicut mõtes dei : iudicia tua
abyssus multa.

Hoies z iumẽta saluabis dñe: quẽadmo-
dum multiplicasti misericordiã tuã deus.

ad matu.   Fo.xxviij.

F ilij autem hominum: in tegmine alarũ tuarum sperabunt.

I nebziabuntur ab vbertate domus tue: et tozrente voluptatis tue potabis eos.

Q uoniã apud te est fons vite: ⁊ in lumine tuo videbimus lumen.

P zetende misericozdiam tuam sciẽtibus te: ⁊ iustitiam tuã his qui recto sunt cozde.

N on veniat michi pes superbie: ⁊ manus peccatozis non moueat me.

I bi ceciderunt qui operantur iniquitatẽ: expulsi sunt nec potuerunt stare. G lozia. Ãn. Expugna impugnantes me.

Reuela. N olt emulari. Psalmus. xxxvj.

N Oli emulari in malignantibus: neq̃ zelaueris facientes iniqui-tatem.

Q uoniam tanꝗ fenum veloci-ter arescent: et quemadmodũ olera herba-rum cito decident.

S pera in dño et fac bonitatem: ⁊ inhabi-ta terram/ et pasceris in diuitijs eius.

D electare in domino: ⁊ dabit tibi petitio-
                                      D.iiij.

ne quis inuideat proboꝝ prosperitati

70

Feria.ij.

nes co2dis tui.

Reuela domino viam tuam:τ spera in eo
et ipse faciet.

Et educet quasi lumen iusticiam tuam: τ
iudicium tuum tanᵹ meridiem : subditus
esto domino et o2a eum.

Noli emulari i eo qui p2osperatur in via
sua:in homine faciente iniusticias.

Desine ab ira τ derelinque furo2em: noli
emulari vt maligneris.

Qm̄ qui malignātur exterminabunt:su-
stinentes autē dn̄m ipsi hereditabūt terrā.

Et adhuc pusillum et non erit peccato2: τ
queres locum eius et non inuenies.

Mansueti autem hereditabunt terram:τ
delectabuntur in multitudine pacis.

Obseruabit peccato2 iustum : et stridebit
super eum dentibus suis.

Dominus autem irridebit eum : quontā
p2ospicit ᵹ veniat dies eius.

Gladium euaginauerunt peccato2es:in-
tenderunt arcum suum.

Vt decipiant pauperem τ inopem: vt tru
cident rectos co2de.

Gladius eo2um intret in co2da ipso2um:
et arcus eo2um confringatur.

71

ad matu. Fo.rrir.

Melius est modicum iusto:super diuitias peccatorum multas.

Quoniam brachia peccatorum conteren tur:confirmat autem iustos dominus.

Nouit dominus dies immaculatorum:τ hereditas eorum in eternum erit.

Nō cōfundenk in tēpore malo/τ in diebus famis saturabūtur:qa prtōres peribunt.

Inimici vero dñi mor vt honorificati fue rint et exaltati : deficientes quemadmodū fumus deficient.

Mutuabitur peccator et nō soluet:iustus autem miseretur et tribuet.

Quia benedicentes ei hereditabūt terrã: maledicentes autem ei disperibunt.

Apud dominū gressus hominis dirigen tur:et viam eius volet.

Cum ceciderit iustus nō collidetur : quia dominus supponit manum suam.

Iunior fui eteni senui: et nō vidi iustū de relictū/nec semen eius querens panem.

Tota die miseretur τ commodat: et semē illius in benedictione erit.

Declina a malo τ fac bonum: τ inhabita in seculum seculi.

Quia dñs amat iudicium/τ non derelin=

Feria. ij.

quet setõs suos:in eternũ cõseruabuntur.

Iniusti puntentur: ⁊ seme impioꝛ peribit

Iusti autẽ hereditabunt terram:et inhabitabunt in seculum setuli super eam.

Os iusti meditabitur sapientiã:et lingua
eius loquetur iudicium.

Lex dei eius in coꝛde ipsius:⁊ nõ supplan
tabuntur gressus eius.

Cõsiderat peccatoꝛ iustum:⁊ querit moꝛ
tificare eum.

Dñs autẽ non derelinquet eum in manibus eius:nec dãnabit eũ cũ iudicabiꝑ illi.

Expecta dñm ⁊ custodi viam eius:⁊ exaltabit te vt hereditate capias terram / cum
perierint peccatoꝛes videbis.

Vidi impium superexaltatũ:⁊ eleuatum
sicut cedꝛos libani.

Et transiui et ecce non erat:quesiui eum
et non est inuentus locus eius.

Custodi innocentiam et vide equitatem:
quoniã sunt reliquie homini pacifico.

Iniusti autem disꝑibũt simul:reliquie
impioꝛum interibunt.

Salus autem iustoꝛum a domino:⁊ pꝛo-
tectoꝛ eoꝛum in tempoꝛe tribulationis.

Et adiuuabit eos dñs et liberabit eos / et

ad matu.   Fo.xxx.

eruet eos a pctőzibus/ z saluabit eos:quia
sperauerunt in eo.   Psalmus.xxxvij.

Omie ne in furoze tuo arguas me:
neqz in ira tua cozripias me.

Quoniam sagitte tue infire sunt michi: z
confirmasti super me manum tuam.

Nő est sanitas i carne mea a facie ire tue:
nő est par ossibꝰ meis a facie pctőz meozű.

Qm iniqtates mee supgresse sunt caput
meű:sicut onꝰ graue grauate sunt sup me.

P utruerűt et cozrupte sűt cicatrices mee:
a facie insipientie mee.

Miser factus sum z curuatus sum vsqz in
finem:tota die contristatus ingrediebar.

Qm lumbi mei impleti sunt illusiőibus:
et non est sanitas in carne mea.

Afflictus sum et humiliatus sum nimis:
rugiebam a gemitu cozdis mei.

D ńe ante te ome desideriű meű: et gemitus meus a te non est absconditus.

Coz meum conturbatű est / dereliquit me
virtus mea: z lumen oculozum meozum z
ipsum non est mecum.

Amici mei et pzoximi mei: aduersum me
appzopinquauerunt et steterunt.

Et qui iuxta me erant de longe steterunt:

psalmus
efficax
ad consequē
dā veniā

Feria.ij.

et vim faciebāt qui querebant aiam meā.
Et qui inqrebant mala michi locuti sunt
vanitates:⁊ dolos tota die meditabantur.
Ego autem tanqȝ surdus nō audiebam:
et sicut mutus non aperiens os suum.
Et factus sum sicut homo non audiens:
et non habens in oze suo redargutiones.
Quoniam in te domine speraui:tu erau-
dies me domine deus meus.
Quia dixi nequādo supgaudeāt mihi im-
mici mei:et dum commouentur pedes mei
super me magna locuti sunt.
Qm̄ ego in flagella paratus sum:⁊ doloz
meus in conspectu meo semper.
Qm̄ iniquitatē meam annunciabo:et co-
gitabo pzo peccato meo.
Inimici autem mei biuunt/⁊ confirmati
sunt super me:et multiplicati sunt qui oderunt me inique.
Qui retribuunt mala pzo bonis detrahe-
bant michi:quoniā sequebar bonitatem.
Ne derelinquas me domine deus meus:
ne discesseris a me.
Intēde in adiutoziū meū: dn̄e deˢ salutis
mee. Glozia.Añ.Reuela dn̄o biam tuam
v̄.Domine in celo:misericozdia tua. ℞.Et

[marginal note, left side:]
sic se debet
habere
vir mitis
in tribulatio
ne/et nequȝ
superbe lege
nequȝ referere
male dicta
sz maledicentibȝ
benedicere
et libenter
pati siue
iustitie causa
si meruit
siue dei
cōsilio si
nō merui

veritas tua vsqz ad nubes. ¶ Feria tertia.

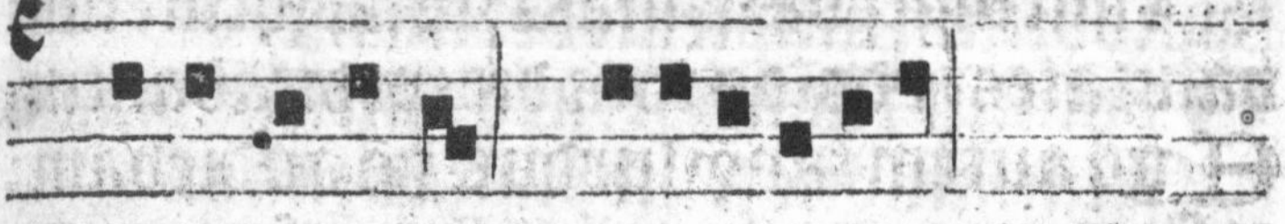

Ut non delinquã. Dixi custo. ps.xxxviij.

Dixi custodiam vias meas: vt nõ delinquam in lingua mea.

Posui ori meo custodiam: cum consisteret peccator aduersũ me.

Obmutui & humiliatus sum & silui a bonis: et dolor meus renouatus est.

Concaluit cor meum intra me: & in meditatione mea exardescet ignis.

Locutus sum in lingua mea: notum fac michi domine finem meum.

Et numerum dierum meorum qui est: vt sciam quid desit michi.

Ecce mensurabiles posuisti dies meos: et substantia mea tanq̃ nichilum ante te.

Uerumtamen vniuersa vanitas: omnis homo viuens.

Uerumtamen in imagine pertransit homo: sed et frustra conturbatur.

Thesaurizat: & ignorat cui ꝯgregabit ea.

Et nunc que est expectatio mea nonne dominus: et substantia mea apud te est.

maledictis abstinendũ

Feria.iij.

Ab omnibus iniquitatib⁹ meis erue me:
oppꝛobꝛium inſipienti dediſti me.

Obmutui ꝗ non aperui os meũ quoniam
tu feciſti:amoue a me plagas tuas.

Afortitudine manus tue ego defeci in in-
crepationibus:pꝛopter iniquitatem coꝛri-
puiſti hominem.

Et tabeſcere feciſti ſicut araneã aĩam ei⁹:
beruntamen bane cõturbatur ois homo.

Eraudi oꝛationẽ meã dñe/ꝗ depꝛecationẽ
meã:auribus percipe lachꝛymas meas.

Ne ſileas qm aduena ego ſum apud te:et
peregrinus ſicut omnes patres mei.

Remitte michibt refrigerer pꝛiuſꝗ abeã
et amplius non ero.   Pſalmus.xxxix.

Expectans expectaui dñm:et intendit
michi.

Et eraudiuit pꝛeces meas:ꝗ eduxit me de
lacu miſerie/et de luto fecis.

Et ſtatuit ſupꝛa petram pedes meos:ꝗ di
rerit greſſus meos.

Et immiſit in os meum canticum nouũ
carmen deo noſtro.

Uidebunt multi ꝗ timebunt:ꝗ ſperabunt
in domino.

Beatus bir cuius eſt noiẽ dñi ſpes eius:

77

Feria.iij.

met:et coz meum dereliquit me.

Complaceat tibi domine vt eruas me:do
mine ad adiuuandum me respice.

Confundantur et reuereantur simul:qui
querunt animam meam vt auferant eam.

Conuertantur retrozsum et reuereantur:
qui volunt michi mala.

Herant confestim confusionem suam:qui
dicunt michi euge euge.

Exultent et letentur super te omnes querentes te: & dicant semper magnificetur do
minus qui diligunt salutare tuum.

Ego autem mendicus sum et pauper:do-
minus sollicitus est mei.

Adiutoz meus et ptectoz meus tu es: de'
meus ne tardaueris Glozia patri. Añ. Vt
non delinquam in lingua mea.

Sana dñe. Beatus q̃ intel. Psalm⁹.xl.

Beatus qui intelligit super egenũ
et pauperem.in die mala liberabit eum dominus.

Dominus conseruet eum & viui-
ficet eum/ & beatum faciat eum in terra:et

[marginalia: elemosina in paupere]

ad matu.   Fo.xxxiij.

non tradat eum in animã inimicorũ eius.

Dominus opem ferat illi sup lectum do=
loris eius: vniuersum stratum eius versa=
sti in infirmitate eius.

Ego dixi domine miserere mei: sana ani=
mam meam quia peccaui tibi.

Inimici mei direrũt mala michi: quando   *demones*
morietur et peribit nomen eius.

Et si ingrediebat vt videret vana loque=
batur: cor eius cõgregauit iniquitatẽ sibi.

Egrediebat foras: et loqbat in idipsum.

Aduersum me susurrabant oẽes inimici
mei: aduersum me cogitabãt mala michi.

Uerbũ iniquũ cõstituerũt aduersum me:
nunqd qui dormit nõ adijciet vt resurgat.

Etenim homo pacis mee in quo speraui
qui edebat panes meos: magnificauit su=
per me supplantationem.

Tu autem domie miserere mei: & resusci=
ta me et retribuam eis.

In hoc cognoui qm voluisti me: qm non
gaudebit inimicus meus super me.

Me autẽ propter innocẽtiam suscepisti: et
cõfirmasti me in cõspectu tuo ineternum.

Benedictus dñs deus israel a seculo et in
seculum: fiat fiat.   Psalmus.xlj.
                     e.j.

Feria.iij.

Uemadmodū desiderat ceruus ad fontes aquarum:ita desiderat anima mea ad te deus.

Sitiuit anima mea ad deū fontem viuū: quando veniā ⁊ apparebo ante faciē dei.

Huerūt michi lachryme inee panes die ac nocte:dū dicit mihi quotidie vbi est de⁹tu⁹.

Hec recordatus sum et effudi in me aīam meam: quoniam transibo in locum tabernaculi admirabilis vſqȝ ad domum dei.

In voce exultationis et confessionis:sonus epulantis.

Quare tristis es anima mea:⁊ quare cōturbas me.

Spera in deo: qñ adhuc confitebor illi salutare vultus mei et deus ńeus.

Ad meipsum anima mea conturbata est: propterea memor ero tui de terra iordanis et hermonij a monte modico.

Abyssus abyssum inuocat:in voce cathăractarum tuarum.

Omnia excelsa tua⁊ fluctus tui:super me transierunt.

In die mandauit dominus misericordiā suam:et nocte canticum eius.

Apud me oratio deo vite mee:dicam deo

Feria.iij.

bas me:

Spera in deo:quoniã adhuc cõfitebor illi
salutare vultus mei et deus meus.

Eructauit. Deus auribus. ps. xliij.

Eus aurib⁹ nostris andiuimus:pa
tres nostri annunciauerunt nobis.

Opus quod operatus es in diebus eoʒ: ꝟ
in diebus antiquis.

Manus tua gentes disperdidit/ ꝓ plãtasti
eos:afflixisti populos et expulisti eos.

Nec enim in gladio suo possederũt terrã:
et brachium eorum non saluauit eos.

Sed dextera tua et brachiũ tuũ et illuminatio vultus tui:quoniã cõplacuisti in eis.

Tu es ipse rex meus et deus meus:ꝗ mã-
das salutes iacob.

In te inimicos nostros bẽtilabimus cornu: et in nomine tuo spernemus insurgen-
tes in nobis.

Non eni in arcu meo sperabo: et gladius
meus non saluabit me.

Saluasti enim nos de affligentibus nos:
et odientes nos confudisti.

ad matu. Fo.xxxb.

In deo laudabimur tota die:⁊ in nomine
tuo confitebimur in seculum.

Nunc autem repulisti et confudisti nos:⁊
non egredieris deus in virtutibus nostris.

Auertisti nos retrozsum post iumicos no-
stros:et qui oderunt nos diripiebant sibi.

Dedisti nos tanq̃ oues escarum:⁊ in gen
tibus dispersisti nos.

Vendidisti populũ tuũ sine przeto : et non
fuit multitudo in cõmutationibus eozũ.

Posuisti nos opprobziumbicinis nostris:
subsannationem et derisum his qui in circuitu nostro sunt.

Posuisti nos in similitudinem gentibus:
commotionem capitis in populis.

Tota die verecundia mea contra me est:
et confusio faciei mee cooperuit me.

A voce exprobzantis ⁊ obloquentis:a facie inimici et persequentis.

Hec oia venerũt sup nos nec obliti sumus
te:et inique non egimus in testamẽto tuo.

Et non recessit retro coz nostrum:et decli-
nasti semitas nostras a via tua.

Quoniã humiliasti nos in loco afflictiõ-
nis:et cooperuit nos vmbza mozits.

Si obliti sumus nomen dei nostri: ⁊ si ex-
e.iij.

Feria.iij.

pandimus manus nostras ad deū alienū.

Nōne deus requiret ista: ipse enim nouit abscondita cordis.

Qm̄ ppter te mortificamur totā die: estimati sumus sicut oues occisiones.

Exurge quare obdormis domine: exurge et ne repellas in finem.

Quare faciem tuā auertis: obliuisceris inopie nostre et tribulationis nostre.

Quoniam humiliata est in puluere anima nostra: conglutinatus est in terra venter noster.

Exurge domie adiuua nos: ꝗ redime nos propter nomen tuum.   Psalmus. xliiij.

ERuctauit cor meum verbum bonū: dico ego opera mea regi.

Lingua mea calamᵒ scribe: velociter scribentis.

Speciosus forma pre filijs hoim: diffusa est gratia in labijs tuis/ propterea bn̄dixit te deus in eternum.

Accingere gladio tuo super femur tuum: potentissime.

Specie tua et pulchritudine tua : intende prospere procede et regna.

Propter veritatē ꝫ mansuetudinē et iusti-

83

Feria.iij.

stitues eos principes super omnem terrã.
Memores erunt nominis tui domine: in
omni generatione et generationem.
Propterea populi confitebuntur tibi: in
eternũ ⁊ in seculũ seculi. Gloria. Añ. Eructauit cor meum berbum bonum.

Adiutor. Deus noster refu. Psalmº.xlb.
Deus noster refugium et birtus: adiutor in tribulatiõibus que inuenerunt nos nimis.
Propterea nõ timebimus dum turbabit
terra: ⁊ transferêtur montes in cor maris.
Sonuerunt et turbate sunt aque eorum:
cõturbati sunt montes in fortitudine eius.
Fluminis impetus letificat ciuitatê dei:
sanctificauit tabernaculũ suũ altissimus.
Deus in medio eius non commõuebitur:
adiuuabit eam deus mane diluculo
Conturbate sunt gentes et inclinata sunt
regna: dedit bocem suam mota est terra.
Dominus birtutum nobiscum: susceptor
noster deus iacob.
Uenite ⁊ bidete opera domini: que posuit

(marginal note, left side, handwritten:) fiducia in dõ in aduersus tribula trone

84

ad matu.   Fo.xxxvij.

prodigia super terram.

Auferes bellabſqʒ ad fineͤ terre: arcuͤ coͤte
ret ⁊ coͤfringet arma ⁊ ſcuta coͤburet igni.

Uacate et bidete qͦm ego ſum deus: eral=
taboꝛ in gentibus et eraltaboꝛ in terra.

Dominus birtutum nobiſcum: ſuſceptoꝛ
noſter deus iacob.   Pſalmus.rlbj.

OMnes gentes plaudite manibus: iu
bilate deo in boce erultationis.

Qͦm dominus ercelſus terribilis: rer ma
gnus ſuper omnem terram.

Subiecit populos nobis:⁊ gentes ſub pe=
dibus noſtris.

Elegit nobis hereditatem ſuam: ſpeciem
iacob quem dilerit.

Aſcendit deus in iubilo : et dominus in
boce tube.

Pſallite deo nͦo pſallite : pſallite regi no=
ſtro pſallite.

Qͦm rer ois terre deus: pſallite ſapienter.

Regnabit deus ſuper gentes : deus ſedet
ſuper ſedem ſanctam ſuam.

Pꝛincipes populoꝛuͤ congregati ſunt cum
deo abꝛaham: quoniam dij foꝛtes terre be=
hementer eleuati ſuͤnt. Gloꝛia patri.Aͤn.
Adiutoꝛ in tribulationibus.

Feria.iij.

Auribᵤ pcipite.Magnus dñs. ps.xlvij.

Agnus dominus et laudabilis nimis : in ciuitate dei nostri in monte
sancto eius.

Eundar exultatione vniuerse terre môs
syon: latera aqlonis ciuitas regis magni.

Deus in domibᵤ eius cognoscetur : cum
suscipiet eam.

Quoniã ecce reges terre cõgregati sunt:
conuenerunt in vnum.

Ipsi videntes sic admirati sunt : conturbati sunt commoti sunt tremoȝ appȝehen-
dit eos.

Ibi doloȝes vt parturientis:in spiritu ve-
hementi conteres naues tharsis.

Sicut audiuimus sic vidimus in ciuitate
domini virtutum/in ciuitate dei nostri:deᵤ
fundauit eam in eternum.

Suscepimus deus misericoȝdiam tuam:
in medio templi tui.

Scdm nomê tuum deus sic et laus tua in
fines terre:iusticia plena est dextera tua.

Letetur mons syon et exultent filie iude:

ad matu.   Fo.xxxviij.

propter iudicia tua domine.

Circundate syon et complectimini eam: narrate in turribus eius.

Ponite corda vestra in virtute eius / et distribuite domos eius: vt enarretis in progenie altera.

Q iñ hic est de⁹ deus noster ineternū et in sckm sckt: ipse reget nos in secula. ps.xlviij.

AUdite hec oēs gentes: auribus percipite omnes qui habitatis orbem.

Q uicz terrigene et filij hominum: simul in vnum diues et pauper.

O s meum loquetur sapientiam: et meditatio cordis mei prudentiam.

Inclinabo in parabolam aurem meam: aperiam in psalterio propositionē meam.

Cur timebo in die mala: iniquitas calcanei mei circumdabit me.

Q ui confidunt invirtute sua: et in multitudine diuitiarum suarum gloriantur.

H rater non redimit redimet homo: non dabit deo placationem suam.

Et pretiū redemptionis anime sue: et laborabit ineternū / et viuet adhuc in finem.

Non videbit interitū cū viderit sapientes morientes: simul insipiēs ʒ stultus peribūt.

Feria.iij.

Et relinquent alienis diuitias suas: ꞇ sepulchꝛa eoꝛum domus illoꝛū in eternum.

Tabernacula eoꝛū in pꝫgenie ꞇ pꝛogenie: vocauerunt nomina sua in terris suis.

Et homo cū in honoꝛe esset non intellexit: comparatus est iumentis insipientibus/et similis factus est illis.

Hec via illoꝛum scādalum ipsis: et postea in oꝛe suo cōmplacebunt.

Sicut oues in iferno positi sunt:moꝛs depascet eos.

Et dñabunt eoꝛ iusti in matutino:et auxiliū eoꝛ veterascet in inferno a gꝉia eoꝛū.

Teruntamē deus redimet animā meam de manu inferi:cum acceperit me.

Ne timueris cum diues factus fuerit hō: et cum multiplicata fuerit gꝉia domꝰ eius.

Quoniam cum interierit non sumet omnia:neꝗ descendet cum eo gloꝛia eius.

Quia anima eius in vita ipsius bñdicet: confitebitur tibi cum benefeceris ei.

Introibit vsꝗ in pꝛogenies patrū suoꝛū: et vsꝗ ineternū non videbit lumen.

Homo cum in honoꝛe esset non intellexit: cōparatꝰ est tumētis insipientibꝰ et similis factus est illis. Gloꝛia.Añ. Auribus per-ad matu.   Fo.xxxix.

cipite qui habitatis orbem.

Deus deorū. Idem.   Psalm⁹.xlix.

DEus deorum dominus locutus est:
et vocauit terram.

A solis ortu vsq; ad occasum: ex syon spe-
cies decoris eius.

Deus manifeste veniet: deus noster & nō
silebit.

Ignis in conspectu eius exardescet: et in
circuitu eius tempestas valida.

Aduocauit celum desursum:& terram di-
scernere populum suum.

Congregate illi sanctos eius: q̃ ordinant
testamentum eius super sacrificia.

Et annunciabunt celi iusticiam eius: qr̄
deus iudex est.

Audi populus meus & loquar israel:& tes
tificabor tibi deus deus tuus ego sum.

Non in sacrificijs tuis arguā te:holocau
sta autem tua in conspectu meo sunt semp.

Non accipiam de domo tua vitulos:neq;
de gregibus tuis hyrcos.

Quoniam mee sunt omnes fere siluarū:

Feria.iij.

fumenta in montibus et boues.

Cognoui omnia volatilia celi:et pulch̄ztudo agri mecum est.

Si esuriero nõ dicam tibi: meuꝰ est enim oꝛbis terre et plenitudo eius.

Nunquid mãducabo carnes tauroꝛum: aut sanguinem hyꝛcoꝛum potabo.

Immola deo sacrificium laudis: ⁊ redde altissimo vota tua.

Et inuoca me in die tribulationis: ⁊ eruã te et honoꝛificabis me.

Peccatoꝛi autē dixit deus: quare tu enarras iusticias meas/ ⁊ assumis testamentũ meum per os tuum.

Tu vero odisti disciplinã:et pꝛoiecisti sermones meos retroꝛsum.

Si videbas furem currebas cum eo:et cũ adulteris poꝛtionem tuam ponebas.

Os tuũ abundauit malicia: ⁊ lingua tua toncinnabat dolos.

Sedēs aduersus fratrē tuũ loquebaris/ et aduersus filiũ matris tue ponebas scandalum:hec fecisti et tacui.

Existimasti iniꝗ ꝙ ero tui similis : arguã te et statuam contra faciem tuam.

Intelligite hec qui obliuiscimini deum:

ad matu.   Fo.xl.

nequando rapiat et non sit qui eripiat.

Sacrificium laudis honorificabit me: et illic iter quo ostendam illi salutare dei.

¶Non dicitur ad noctur.   Psalmus.l.

Iserere mei deus: secundū magnā misericordiam tuam.

Et scdm multitudinē miserationū tuarꝫ: dele iniquitatem meam.

Amplius laua me ab iniquitate mea: ꝫ a peccato meo munda me.

Quoniā iniquitatē meā ego cognosco: et peccatum meum contra me est semper.

Tibi soli peccaui et malum coram te feci: vt iustificeris in sermonibus tuis ꝫvincas cum iudicaris.

Ecce enim in iniqtatibus conceptus sum: et in peccatis concepit me mater mea.

Ecce enim veritatē dilexisti: incerta et occulta sapientie tue manifestasti michi.

Aspges me ysopo et mundabor: lauabis me et super niuem dealbabor.

Auditui meo dabis gaudiū ꝫ leticiam: et exultabunt ossa humiliata.

Auerte faciem tuam a peccatis meis: et omnes iniquitates meas dele.

Cor mundum crea in me deus: et spiritū

Feria.iij.

rectū innoua in visceribus meis.

Ne proijcias me a facie tua: ᶊ spm̄ sanctū tuum ne auferas a me.

Redde michi leticiam salutaris tui: ᶊ spiritu principali confirma me.

Docebo iniquos vias tuas: et impij ad te conuertentur.

Libera me de sanguinib⁹ deus deus salutis mee: ᶊ exultabit ligua mea iusticiā tuā

Domine labia mea aperies: et os meum annunciabit laudem tuam.

Quoniam si voluisses sacrificiū dedissem vtiᵹ: holocaustis non delectaberis.

Sacrificiū deo spiritus cōtribulatus: cor contritū et humiliatū deus non despicies.

Benigne fac domie in bona volūtate tua syon: et edificentur muri hierusalem.

Tunc acceptabis sacrificiū iusticie oblationes ᶊ holocausta: tunc imponent super altare tuum vitulos.   Psalmus.lj.

QVid gloriaris in malicia: qui potēs es in iniquitate.

Tota die iniusticiā cogitauit lingua tua: sicut nouacula acuta fecisti dolum.

Dilexisti maliciā super benignitatē: iniquitatem magis ᵹ loqui equitatem.

ad matu.   Fo.xlj.

Dilexisti omnia verba precipitatiõis:lin=
gua dolosa.

Propterea deus destruet te in finẽ:euellet
te ꝫ emigrabit te de tabernaculo tuo/ ꝫ ra=
dicem tuam de terra viuentium.

Videbunt iusti et timebunt/ ꞇꞇ super eum
ridebunt et dicent: ecce homo qui nõ posuit
deum adiutorem suum.

Sed sperauit in multitudine diuitiarum
suarum:et preualuit in vanitate sua.

Ego autem sicut oliua fructifera in do=
mo dei : speraui in misericordia dei in eter=
num et in seculum seculi.

Confitebor tibi in seculum quia fecisti: et
expectabo nomen tuum/ quoniam bonum
est in conspectu sanctorum tuorum . Glo=
ria patri et filio : et spiritui sancto . Sicut
erat in principio et nunc et semper : et in se=
cula seculorum amen. Añ . Deus deorum
dominus locutus est . ꝟ. Immola deo: sa=
crificium laudis,℞.Et redde altissimo vo=
ta tua.ℂFeria quarta.   Añ.

Auertet dñs,Dixit insipiẽs.Psalm⁹ lij.
                    E.f.

93

Feria.iiij.

Irit infipiẽs in coꝛde fuo:non eſt deus.

Coꝛrupti ſunt ⁊ abominabiles facti ſunt in iniquitatibus : non eſt qui faciat bonum.

Deus de celo pſpexit ſup filios hominũ: vt videat ſi eſt intelligẽs aut requirẽs deũ.

Oẽs declinauerũt ſimul iutiles facti ſũt: non eſt qui faciat bonũ nõ eſt vſcp ad vnũ.

Nõne ſciẽt oẽs qui operantur iniquitatẽ: qui deuoꝛant plebem meam vt cibũ panis.

Deum non inuocauerũt : illic trepidauerunt timoꝛe vbi non fuit timoꝛ.

Qm deus diſſipauit oſſa eoꝛ qui hoĩbus placent: confuſi ſunt qm deꝝs ſpꝛeuit eos.

Quis dabit ex ſyon ſalutare iſrael: cũ cõuerterit deus captiuitatem plebis ſue exultabit iacob et letabitur iſrael.

Non dicitur ad noctur.　Pſalmus.liij.

DEus in nomine tuo ſaluum me fac: et in virtute tua iudica me.

Deus exaudi oꝛationem meam : auribꝰ percipe verba oꝛis mei.

Qm alieni inſurrexerũt aduerſum me/et foꝛtes queſierunt animam meam : et non pꝛopoſuerunt deum ante conſpectũ ſuum.

94

Ecce enim deus adiuuat me: et dominus susceptoz est anime mee.

Auerte mala inimicis meis : in veritate tua disperde illos.

Uoluntarie sacrificabo tibi: ⁊ confitebor nomini tuo domine quoniam bonum est.

Quoniam ex omni tribulatione eripuisti me: et super inimicos meos despexit oculus meus.			Psalmus.liiij.

Exaudi deus ozationem meam/ et ne despexeris depzecationẽ meã: intẽde michi et exaudi me.

Contristatus sum in exercitatione mea⁊ conturbatus sum: a voce inimici et a tribu latione peccatozis.

Quoniam declinauerunt in me iniquita tes: et in ira molesti erant michi.

Coz meum conturbatum est in me: ⁊ foz= mido moztis cecidit super me.

Timoz et tremoz venerũt super me: ⁊ cõ= texerunt me tenebze.

Et dixi/quis dabit michi pennas sicut co lumbe: et volabo et requiescam.

Ecce elõgaui fugiẽs: ⁊ mansi in solitudie Expectabam eum qui saluum me fecit: a pusill animitate spiritus et tempestate.
			f.ij.

Feria.iiij.

Precipita dñe et diuide linguas eorū: qm̄ vidi iniq̄tatē ⁊ contradictionē in ciuitate.

Die ac nocte circundabit eãm super muros eius iniquitas: et laboꝛ in mēdio eius et iniusticia.

Et nō defecit de plateis et⁹: vsura ⁊ dolus

Quoniam si inimicus meus maledixisset michi: sustinuissem vtiꝗ.

Et si is qui oderat me sup me magna locutus fuisset: abscōdissem me foꝛsitā ab eo

Tu vero homo vnanimis: dux meus et notus meus.

Qui simul mecū dulces capiebas cibos: in domo dei ambulauimus cum consensu.

Veniat moꝛs super illos:⁊descendant in infernum viuentes.

Quoniam nequicie in habitaculis eoꝛū: in medio eoꝛum.

Ego autem ad dominum clamaui: et dominus saluauit me.

Vespere ⁊ mane ⁊ meridie narrabo ⁊ annunciabo: et exaudiet vocem meam.

Redimet in pace aiam meam ab his qui appꝛopinquāt michi: quoniam inter multos erant mecum.

Exaudiet deus:⁊humiliabit illos qui est

96

ad matū.   Fo.xliij.

ante secula.

Ñ ō eni est illis cōmutatio et nō timuerūt
deū: extendic manū suam in retribuendo.

Contaminauerūt testamentum eius: di-
uisi sunt ab ira vultus eius / et appropinquauit cor illius.

Molliti sunt sermones eius super oleum:
et ipsi sunt iacula.   *adulator*

Iacta sup dñm curam tuā/ et ipse te enu-   *in tribula*
triet: nō dabit ineternū fluctuationē iusto.   *tione*

Tu vo deˀ deduces eos: in puteū interitˀ.   *demones*

Viri sanguinū et dolosi non dimidiabūt
dies suos : ego autem sperabo in te domine. Gloria patri. Añ. Auertet dominˀ captiuitatem plebis sue.

Quoniam. Amen.   Psalmus.lv.

Miserere mei deus quoniam cōculca
uit me homo : tota die impugnans
tribulauit me.

Conculcauerunt me inimici mei tota die:
quoniā multi bellantes aduersum me.

Ab altitudine diei timebo : ego vero in te
sperabo.

                                        f.iij.

Feria.iiij.

In deo laudabo sermones meos : in deo
speraui / non timebo quid faciat michi caro.

Tota die verba mea execrabantur : aduer=
sum me oes cogitationes eorum in malu.

Inhabitabunt et abscondent : ipsi calca=
neum meum obseruabunt.

Sicut sustinuerunt aiam mea : p nihilo sal
uos facies illos / in ira populos confringes.

Deus vitam meam annunciaui tibi : po=
suisti lachrimas meas in conspectu tuo.

Sicut et in promissione tua : tunc conuer=
tentur inimici mei retrorsum.

In quacuq die inuocauero te : ecce cogno
ui quoniam deus meus es.

In deo laudabo verbum / in domino lau=
dabo sermonem : in deo speraui / non time=
bo quid faciat michi homo.

In me sunt deus vota tua : que reddam lau
dationes tibi.

Quonia eripuisti anima mea de morte : ↄ
pedes meos de lapsu : vt placea coram deo
in lumine viuentium. Psalmus. lvj.

Miserere mei deus miserere mei : qm
in te confidit anima mea.

Et in vmbra alaru tuarum sperabo : do=
nec transeat iniquitas.

Marginal annotations:
fiducia

demones

demones

liberal
a timore

fiducia
in deu

ad matu.   Fo.xliiij.

Clamabo ad deum altissimum: deū qui benefecit michi.

Misit de celo et liberauit me: dedit in opprobrium conculcantes me.

Misit deus misericordiā suā et veritatem suā: et eripuit aiam meā de medio catuloʒ leonum dormiui conturbatus.

Filij hominum dentes eorum arma ꝛ sagitte: ꝛ lingua eorum gladius acutus.

Exaltare super celos deus: et in omnem terram gloria tua.

Laqueum parauerunt pedibus meis: et incuruauerunt animam meam.

Hoderunt ante faciem meam foueam: et inciderunt in eam.

Paratū cor meū deus paratū cor meum: cantabo et psalmum dicam.

Exurge gloria mea/exurge psalteriū ꝛ cythara: exurgam diluculo.

Confitebor tibi in populis dñe: et psalmū dicam tibi in gentibus.

Q̄ m̄ magnificata est vsꝗ ad celos misericordia tua: et vsꝗ ad nubes veritas tua.

Exaltare super celos deus: et super omnē terrā gloria tua. Gloria patri. Añ. Quoniam in te confidit anima mea.

f.iiij.

[marginalia: liberatus a teptatione]

[marginalia: demones]

[marginalia: exultacio]

Feria. iiij.

Iuste iudicate. Si vere vtiqz. ps.lvij.

SI vere vtiqz iusticiam loqmini:recte
iudicate filij hominum.

qui de iusticia
loquimur et
iniuste iudicat
aut iniqua fac
ypochrita est

Eteni in cozde iniquitates operamini in
terra:iniusticias manus vestre cõcinnant.

Alienati sunt peccatozes a vulua:errauer
runt ab vtero/locuti sunt falsa.

Furoz illis scdm similitudinem serpẽtis:
sicut aspidis surde⁊ obturãtis aures suas

Que non exaudiet vocem incantantiũ:⁊
benefici incantantis sapienter.

cõtra demonas

Deus cõteret dentes eozum in oze ipsoz:
molas leonum confringet dominus.

Ad nichilum deuenïet tanqz aqua decur=
rens:intendit arcum suũ donec infirmenf.

Sicut cera que fluit auferẽtur:supcecidit
ignis et non viderunt solem.

Priusqz intelligerent spine vestre ramnũ:
sicut viuentes sic in ira absozbet eos.

Letabitur iustus cũ viderit vindictã:ma
nus suas lauabit in sanguine peccatozis.

Et dicet hõ si vtiqz est fructus iusto : vtiqz
est deus iudicãs eos in terra.Psalm⁹ lviij.

ad matu. Fo.xlv.

CRipe me de inimicis meis de⁹ meus:
et ab insurgētibus in me libera me.
Eripe me de operantibus iniquitatem: ⁊
de viris sanguinum salua me.
Quia ecce ceperunt animā meam:irrue-
runt in me foztes.
Neqz iniquitas mea neqz peccatū meū do
mine:sine iniquitate encurri et direxi.
Exurge in occursum meum et vide: et tu
domine deus virtutum deus israel.
Intende ad visitandas omes gentes:non
miserearis oib⁹ qui operantur iniquitatē.
Conuertentur ad vesperam et famem pa
tientur vt canes:et circuibunt ciuitatem.
Ecce loquentur in oze suoz gladius in la=
bijs eozum:quoniam quis audiuit.
Et tu domine deridebis eos:ad nichilum
deduces omnes gentes.
Foztitudinem meā ad te custodiā: quia
deus susceptoz meus/de⁹ meus misericozdia eius preueniet me.
Deus ostēdit mihi super inimicos meos:
ne occidas eos/neqñ obliuiscant ppłi mei.
Disperge illos iṇ virtute tua: et depone
eos protectoz meus domine.
Delictum ozis eozum sermonem labiozū

Feria .iiij.

tpſorū: ⁊ cōpꝛehendantur in ſuperbia ſua.

Et de execratione ⁊ mendacio: annuncia-
buntur in conſummatione.

In ira conſummationis et non erunt: et
ſcient quia deus dominabitur iacob et finium terre.

Conuertentur adveſperam ⁊ famem pa-
tientur vt canes: et circuibunt ciuitatem.

Ipſi diſpergentur ad manducandum: ſi
vero non fuerint ſaturati ⁊ murmurabūt.

Ego autem cantabo fortitudinē tuam: ⁊
exaltabo mane miſericordiam tuam.

Quia factus es ſuſceptor meꝰ et refugiū
meum: in die tribulationis mee.

Adiutor meus tibi pſallā: ꝗa deus ſuſceptor meus es deus meꝰ miſericordia mea.
Gła. Ař. Iuſte iudicate filij hominum.

Da nobis dñe. Deus repuliſti. ps.lix.

DEus repuliſti nos ⁊ deſtruxiſti nos:
iratus es et miſertus es nobis.

Commouiſti terram et conturbaſti eam:
ſana contritiones eius quia commota eſt.

Oſtendiſti populo tuo dura: potaſti nos

oratio pro
populo ĩ
peſte fame
fame bello
aut alia tribulatione

ad matu.　　　　Fo.xlvj.

vino compunctionis.

Dedisti metuentibus te significatione: vt
fugiant a facie arcus.

Ut liberentur dilecti tui: saluū fac dextera tua et exaudi me.

Deus locutus est in sancto suo: letabor z
partibor siccimam et couallem tabernacu
lorum metibor.

Meus est galaad z meus est manasses: et
effraim fortitudo capitis mei.

Iuda rex meus: moab olla spei mee.

In idumeam extendā calciamentū meā:
michi alienigene subditi sunt.

Quis deducet me in ciuitatem munitā:
quis deducet me vsqz in idumeam?

Nonne tu deus qui repulisti nos: et non
egredieris deus in virtutibus nostris.

Da nobis auxiliū de tribulatiōe: et vana
salus hominis.

In deo faciemus virtutem: et ipse ad nichilū deducet tribulātes nos.　Psalm⁹.lx.

Exaudi deus depzecationem meā: intende orationi mee.

A finib⁹ terre ad te clamaui dum anxia-
retur cor meum: in petra exaltasti me.

Deduxisti me qa fact⁹ es spes mea: turris

Feria.iiij.

diaboli fortitudinis a facie inimici.

Inhabitabo in tabernaculo tuo i secula: protegar in velamento alarum tuarum.

Q m tu de⁹ me⁹ eraudisti oratione mea: dedisti hereditatem timentibus nome tuu.

pro rege Dies sup dies regis adijcies: annos eius vsq in diem generationis ⁊ generationis.

Permanet ineternu in cospectu dei: misericordiam et veritatem eius quis requiret

Sic psalmu dica nomini tuo i sclm scli: vt redda vota mea de die in diem. Ola. An. Da nobis dne auxilium de tribulatione.

patientia in tribulani …vel no multa vale fratri amplius

A timore. Nonne deo. Psalmus.lxj.

Nonne deo subiecta erit anima mea: ab ipso enim salutare meum.

Nam et ipse deus meus ⁊ salutaris me⁹: susceptor meus non mouebor amplius.

Quousq irruitis in homine: interficitis vniuersi vos tanq parieti inclinato et macerie depulse.

Uerumtamen preciu meu cogitauerunt repellere: cucurri in siti ore suo bndicebat/ et corde suo maledicebant.

ad matu.   Fo.xlvij.

Ueruntamen deo subiecta esto aïa mea:
quoniam ab ipso patientia mea. *patientia*

Quia ipse deus meus et saluator meus:
adiutoꝛ meus non emigrabo.

In deo salutare meū et gloꝛia mea: deus
auxilij mei et spes mea in deo est.

Sperate in eo omnis cōgregatio populi:
effundite coꝛam illo coꝛda vestra/ deus ad=
iutoꝛ noster ineternum.

Uerūtamenvani filij hominū mendaces
filij hominum in stateris: vt decipiant ipsi
de vanitate in idipsum.

Nolite sperare in iniqtate/ et rapinas no=
lite concupiscere: diuitie si affluant nolite
coꝛ apponere.

Semel locutus est deus duo hec audiui
ꝗa potestas dei est et tibi dñe misericoꝛdia/ *7*
quia tu reddes vnicuiꝗ iuxta opera sua.

Non dicitur ad noctur.   Psalmus. lxij.

Eus deus me⁹: ad te de luce vigilo.
Sitiuit in te anima mea: ꝗ multi= *desideriū*
pliciter tibi caro mea. *in deū*

In terra deserta inuia et inaquosa: sic in
sancto apparui tibi/ vt viderem virtutem
tuam et gloꝛiam tuam.

Quoniam melioꝛ est misericoꝛdia tua su *in tribula-*
tione et
timore ... mortis

105

Feria.iiij.

per bitas:labia mea laudabunt te.

Sic benedicam te in bita mea: ⁊ in nomi=
ne tuo leuabo manus meas.

Sicut adiue et piguedie repleak aia mea:
et labijs exultationis laudabit os meum.

Si memor kui tui sup stratū meū: i matu
tinis meditabor i te/q̃a kuisti adiutor me⁹.

Et inbelamēto alaꝝ tuaꝝ exultabo:adhe
sit aia mea post te/ me suscepit dextera tua

Ipsi bero in banū quesierunt aiam meã:
introibunt in inferiora terre/ tradentur in
manus gladij partes bulpium erunt.

Rex bero letabitur/in deo laudabunk oēs
qui iurant in eo: quia obstructum est os lo
quentium iniqua.　　　　　Psalmus.lxiij.

Exaudi de⁹ orationē meã cū depꝛecoꝛ:
a timoꝛe inimici eripe animã meã.

Protexisti me a cōuentu malignantium:
a multitudine operantium iniquitatem.

Quia exacuerūt bt gladiū linguas suas:
intenderunt arcum rem amaram bt sagit=
tent in occultis immaculatum.

Subito sagittabunt eum ⁊ non timebūt:
firmauerunt sibi sermonem nequam.

Narrauerunt bt absconderent laqueos:
dixerunt quis bidebit eos.

ad matu.   Fo.rlbiij.

Scrutati sunt iniquitates:defecerūt scru
tantes scrutinio.

Accedet hō ad coz altū:et exaltabif deus.

Sagitte paruuloz facte sunt plage eoz:⁊
infirmate sunt contra eos lingue eozum.

Conturbati sunt oēs qui videbant eos:
et tiinuit omnis homo.

Et annunciauerūt opera dei:⁊ facta eius
intellexerunt.

Letabitur iustus in dño et sperabit in eo:
et laudabuntur omnes recti cozde.

Glozia patri. Añ. A timoze inimici eripe
domine animam meam.

CNon dicitur ad noctur. Psalmus.lxiij.

TE decet hymnus deus in syon: et ti=
bi reduetur botum in hierusalem.

Exaudi ozationē meam: ad te oīis caro
beniet.

Verba iniquozum przeualuerūt sup nos:
et impietatibus nostris tu propiciaberis.

Beatus quem elegisti ⁊ assumpsisti:inha
bitabit in atrijs tuis.

Replebiinur in bonis domus tue: sanctū
est templum tuum mirabile in equitate.

Exaudi nos deus salutaris noster: spes
omnium finium terre et in mari longe.

Feria.iiij.

Preparans montes in virtute tua accin-
ctus potentia: qui conturbas profundum
maris sonum fluctuum eius.

Turbabuntur gentes τ timebunt qui ha
bitant terminos a signis tuis: exitus ma-
tutini et vespere delectabis.

Uisitasti terram τ inebriasti eam: multiplicasti locupletare eam.

Flumen dei repletū est aquis: parasti ci-
bum illorum qm ita est preparatio eius.

Riuos eius inebrians multiplica genimi-
na eiꝰ: in stillicidijs eius letabit germinās

Benedices corone anni benignitatis tue:
et campi tui replebuntur vbertate.

Pinguescent speciosa deserti: τ exultatione colles accingentur.

Induti sunt arietes ouiū/τ valles abun-
dabunt frumento: clamabūt etenim hym-
num dicent.

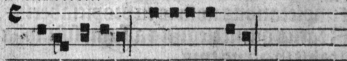

In ecclesijs. Iubilate deo. Psalmꝰ.lxv.
Iubilate deo ois terra psalmū dicite
nomini eius: date gloriā laudi eius.
Dicite deo ꝗ terribilia sunt opera tua do

ad matu.　　　Fo.xlix.

mine: in multitudine virtutis tue mentien
tur tibi inimici tui.

O mnis terra adoꝛet te ꝉ pſallat tibi: pſal
mum dicat nomini tuo.

Venite ꝉ videte opera dei: terribilis in cõ
ſilijs ſuper filios hominum.

Qui conuertit mare in aridam in flumie
pertranſibunt pede: ibi letabimur in ipſo.

Qui dominatur in virtute ſua ineternũ
oculi eius ſuper gentes reſpiciũt: qui exa=
ſperant non exaltentur in ſemetipſis.

Benedicite gentes deum noſtrum: et au=
ditam facite vocem laudis eius.

Qui poſuit animã meã ad vitam: et non
dedit in commotionem pedes meos.

Qm̃ pꝛobaſti nos deus: igne nos exami=
naſti ſicut examinatur argentum.

Induxiſti nos in laqueum/poſuiſti tribu
lationes in doꝛſo noſtro: impoſuiſti homi=
nes ſuper capita noſtra.

Tranſiuimus per ignem ꝉ aquam: ꝉ edu
xiſti nos in refrigerium.

Introibo in domũ tuã ĩholocauſtis: red=
dã tibi vota mea q̃ diſtinxerũt labia mea.

Et locutũ eſt os meũ: in tribulatiõe mea.

Holocauſta medullata offeram tibi cum

g.j.

109

Feria.iiij.

incensu arietu:offerā tibi boues cū hyrcis.

¶enite audite ⁊ narrabo omes qui time=
tis deum:quanta fecit anime mee.

Ad ipsū ore meo clamaui:et exultaui sub
lingua mea.

Iniquitatem si aspexi in corde meo : non
exaudiet dominus.

Propterea exaudiuit deus:⁊ attendit vo=
ci deprecationis mee.

Benedictus deus:qui nō amouit orationem meam et misericordiam suam a me.

¶Non dicitur ad noctur.   Psalmus.lrvj.

Eus misereaŧ nostri et bñdicat no=
bis : illuminet vultum suum super
nos et misereatur nostri.

Ʋt cognoscamus in terra viam tuam:in
omnibus gentibus salutare tuum.

Confiteantur tibi populi deus : cōfitean=
tur tibi populi omnes.

Letenŧ ⁊ exultent gentes:qm iudicas populos in eqtate et gentes in terra dirigis.

Confiteanŧ tibi populi deus/cōfiteantur
tibi populi omnes:terra dedit fructū suū.

Benedicat nos deus deus noster benedicat nos deus : et metuant eum omes fines
terre.   Psalmus.lrvij.

ad matu.   Fo.l.

Exurgat deus ꝫ diſſipenſ inimici ei⁹: ꝫ fugiãt qui oderunt eũ a facie eius.

Sicut deficit fum⁹ deficiãt: ſicut fluit cera a facie ignis/ ſic pereãt pctõꝛes a facie dei.

Et iuſti epulentur ꝫ exultent in conſpectu dei: et delectentur in leticia.

Cantate deo pſalmũ dicite nomini eius: iter facite ei qui aſcendit ſuper occaſum dominus nomen illi.

Exultate in conſpectu eius: turbabuntur a facie eius patris oꝛphanoꝛum et iudicis viduarum.

Deus in loco ſctõ ſuo: deus qui inhabitare facit bnius moꝛis in domo.

Qui educit binctos in foꝛtitudine: ſiſiter eos ꝗ exaſperãt qui habitãt in ſepulchꝛis.

Deus cum egredereris in cõſpectu populi tui: cum pertranſires in deſerto.

Terra mota eſt: etenim celi diſtillauerũt a facie dei ſynai a facie dei iſrael.

Pluuiam boluntariam ſegregabis deus hereditati tue/ ꝫ infirmata eſt: tu bero perfeciſti eam.

Animalia tua habitabunt in ea: paraſti in dulcedine tua pauperi deus.

Dominus dabit berbum euangelizanti
         g.ij.

contra
demoni
inſidias et
inſultus

& precioſo
ribus

uertam in profundum maris.

Ut intinguat pes tuus in sanguine: lingua canum tuorum ex inimicis ab ipso.

Uiderunt ingressus tuos deus: ingressus dei mei regis mei qui est in sancto.

Pr euenerunt principes coniuncti psallentib⁹: in medio iuuencularꝛ tympanistriaꝛ.

In eccliis bndicite deo dño: de fontib⁹ isrl.

Ibi beniamin adolescentulus: in mentis excessu.

Principes iuda duces eorū: principes zabulon et principes nephtalim.

Manda deus virtutem tuam: confirma deus hoc quod operatus es in nobis.

A templo tuo in hierusalem: tibi offerent reges munera.

Increpa feras arūdinis: cōgregatio tau rorum in baccis populorum/ vt excludant eos qui probati sunt argento.

Dissipa gētes ꝗ bella volūt: beniēt legati ex egypto ethiopia pueniet man⁹ eius deo.

Regna terre cantate deo: psallite dño.

Psallite deo: qui ascendit super celum celi ad orientem.

Ecce dabit voci sue vocem virtutis: date gloriā deo super israel/ magnificētia eius
          g.iii.

Feria.v.

et virtus eius in nubibus.

Mirabilis de⁹ in sanctis suis: deus israel ipse dabit virtutem et fortitudinē plebi sue bñdictus deus. Gloria patri. Sicut. Añ. In ecclesijs benedicite domino.v. De⁹ vitā meam: annunciaui tibi.℞. Posuisti lacrimas meas in conspecto tuo.

Cferia quinta.   Añ.

Domine deus. Salu m̄e fac .ps.lrbiij. Aluum me fac deus: qm̄ intraue runt aque vsq̇z ad animam meā. Infixus sum in limo profundi: et non est substantia.

Ceni in altitudinem maris: ꝫ tempestas demersit me.

Laborauiclamans rauce facte sunt fauces mee: defecerunt oculi mei dum spero in deum meum.

Multiplicati sūt sup capillos capitis mei: qui oderunt me gratis.

Confortati sunt qui persecuti sunt me inimici mei iniuste: ꝗ nō raput tūc exsoluebā.

Deus tu scis insipientiam meā: ꝫ delicta

113

ad matu. Fo.lij.

mea a te non sunt abscondita.

Nō erubescant in me qui expectant te do=
mine:domine virtutum.

Non cōrundantur super me: qui querunt
te deus israel.

Quoniam propter te sustinui obprobriū:
operuit confusio faciem meam.

Extraneus factus sum fratribꝰ meis : et
peregrinus filijs matris mee.

Qm zelus domᵒtue comedit me: ꝛ obpro=
bria exprobrantiū tibi ceciderūt super me.

Et operui in ieiunio animā meā: et factū
est in obprobrium michi.

Et posui vestimentum meum cilicium:et
factus sum illis in parabolam.

Aduersum me loquebantur qui sedebant
in porta:ꝛ in me psallebāt q̃ bibebāt vinū.

Ego vero orationem meam ad te domie:
tempus beneplaciti deus.

In multitudine misericordie tue : exaudi
me in veritate salutis tue.

Eripe me de luto vt nō infigar:libera me
ab his q̃ oderunt me/ ꝛ de pfundis aquaᵣ.

Non me demergat tempestas aque : necꝫ
absorbeat me profundum / necꝫ vrgeat su=
per me puteus os suum.

g.iiij.

114

Feria. v.

Exaudi me dñe qm benigna est misericor
dia tua: scdm multitudinẽ miserationum
tuarum respice in me.

Et ne auertas faciem tuam a puero tuo:
quoniam tribulor velociter exaudi me.

Intende animę mee et libera eam: ppter
inimicos meos eripe me.

Tu scis improperium meum ⁊ cõfusionẽ
meam: et reuerentiam meam.

In cõspectu tuo sunt oẽs q̃ tribulant me:
improperiũ expectauit cor meũ et miseriã.

Et sustinui qui simul cõtristaretur ⁊ non
fuit: et qui consolaretur et non inueni.

Et dederunt in escam meam fel: et in siti
meã potauerunt me aceto.

Fiat mẽsa eorũ coram ipsis in laqueum:
et in retributiones et in scandalum.

Obscurentur oculi eorũ ne videant: ⁊ dorsum eorum semper incurua.

Effunde sup eos iram tuam: et furor ire
tue comprehendat eos.

Fiat habitatio eorum deserta: ⁊ in taber
naculis eorum non sit qui inhabitet.

Qm quem tu percussisti persecuti sunt: et
super dolorem vulnerũ meorũ addiderũt.

Appone iniquitatẽ super iniquitatẽ eor:

ad matu.   Fo.lriij.

et non intrent in iusticiam tuam.

Deleantur de libro viuentiũ ꝫ cum iustis non scribantur.

Ego sum pauper ꝫ dolēs: salus tua deus suscepit me.

Laudabo nomen dei cum cantico: et magnificabo eum in laude.

Et placebit deo: super vitulum nouellum cornua producentem et vngulas.

Uideant pauperes ꝫ letentur: querite deũ et viuet anima vestra.   *pro pauꝑib;*

Quoniã exaudiuit pauperes dominus: ꝫ vinctos suos non desperit.   *ꝓ ĩcarcera̅*
atis

Laudent illum celi ꝫ terra: mare et oĩa reptilia in eis.

Quoniam deus saluam faciet syon: ꝫ edificabuntur ciuitates iude.

Et inhabitabunt ibi: ꝫ hereditate adquirent eam.

Et semen seruoꝛ eius possidebit eã: ꝫ qui diligũt nomē eius habitabũt in ea. ps.lrir.

DEus in adiutoriũ meũ intende: dñe ad adiuuandum me festina.   *ꝑetb et*
deo d effetu

Confundantur et reuereantur: qui querunt animam meam.

Auertantur retroꝛsum ꝫ erubescant: qui

116

Feria.v.

volunt michi mala.

Auertantur statim erubescētes : q̄ dicunt michi euge euge.

Exultent et letentur in te omnes qui querunt te : et dicant semper magnificetur dominus qui diligunt salutare tuum.

Ego vero egen⁹ ꞇ pauꝑ sū:de⁹ adiuua me.

Adiutoꝛ meus ꞇ liberatoꝛ me⁹ es tu: dñe ne moꝛeris. Gloꝛia patri. Añ. Domie de⁹ in adiutoꝛium meum intende.

Esto michi. In te dñe spera. Psalm⁹ lxx.

IN te domine sperauit non confundar ineternum: in iusticia tua libera me et eripe me.

Inclina ad me aurem tuam:et salua me.

Esto michi in deum pꝛotectoꝛem : et in locum munitum vt saluum me facias.

Qꝑ firmamētū meū:ꞇ refugiū meū es tu

Deus me⁹ eripe me de manu peccatoꝛis: et de manu contra legem agētis et iniqui.

Quoniam tu es patientia mea domine: domine spes mea a iuuentute mea.

In te cōfirmatus sum er vtero:de ventre

117

matris mee tu es protector meus.

In te cantatio mea semper: tanĝ pdigiũ
factus sum multis/et tu adiutor fortis.

Repleatur os meũ laude: vt cantem glo=
riam tuã tota die magnitudinem tuam.

Ne proijcias me in tempore senectutis: cũ
defecerit virtus mea ne derelinquas me.

Quia dixerũt inimici mei michi: ⁊ q̃ custo
diebãt aiam meam cõsiliũ fecerunt in vnũ.

Dicentes deus dereliquit eũ: psequimini
et cõprehendite eum/qa non est qui eripiat.

Deus ne elongeris a me: de⁹ meus in au=
xilium meum respice.

Confundantur et deficiant detrahentes
anime mee: operiantur cõfusione ⁊ pudore
qui querunt mala michi.

Ego autem semper sperabo: et adijciam
super omnem laudem tuam.

Os meum annunciabit iusticiam tuam:
tota die salutare tuum.

Quoniam non cognoui litteraturam in=
troibo in potentias domini: domĩe memo=
rabor iusticie tue solius.

Deus docuisti me er iuuẽtute mea: ⁊ vsꝗ
nunc pronunciabo mirabilia tua.

Et vsꝗ in senectam et senium: deus ne de=

Feria.v.

relinquas me.

Donec annunciem brachiū tuū: genera=
tioni omni que ventūra est.

Potētiā tuā z iusticiā tuā de̅ vſq; in altis-
sima q̄ fecisti magnalia: deus q̅s silis tibi.

Quantas ostendisti michi tribulationes
multas z malas: z 2uersus viuificasti me/
et de abyssis terre iterum reduristi me.

Multiplicasti magnificentiā tuā: z couer=
sus consolatus es me.

Nam z ego cōfitebor tibi in vasis psalmi
veritatē tuam deus: psallam tibi in cythara sanctus israel.

Exultabūt labia mea cum cantauero ti=
bi: et anima mea quam redemisti.

Sed et lingua mea tota die meditabit̄ iu=
sticiam tuā: cum confusi et reueriti fuerint
qui querunt mala michi.   Psalmus.lxxi.

Deus iudicium tuum regi da: z iusti
ciam tuam filio regis.

Iudicare populum tuū in iusticia: z pau=
peres tuos in iudicio.

Suscipiant montes pacem populo: z col=
les iusticiam.

Iudicabit pauperes rpli̅ / z saluos faciet
filios pauperū: et humiliabit calūniatorē.

119

ad matu. Fo.lb.

Et permanebit cū sole: et ante lunā in generationes generationum.

Descendet sicut pluuia in vellus: et sicut stillicidia stillantia super terram.

Orietur in dieb⁹ eius iusticia ⁊ abundantia pacis:donec auferatur luna.

Et dominabitur a marib[us]q[ue] ad mare:⁊ a flumine vsq[ue] ad terminos orbis terrarū.

Coram illo procident ethiopes:et inimici eius terram lingent.

Reges tharsis ⁊ insule munera offerent: reges arabum et saba dona adducent.

Et adorabunt eum omnes reges:omnes gentes seruient ei.

Quia liberabit pauperē a potente: ⁊ pauperem cui non erat adiutor.

Parcet pauperi et inopi: et animas pauperum saluas faciet.

Ex vsuris ⁊ iniquitate redimet aias eor: et honorabile nomen eorum coram illo.

Et viuet ⁊ dabit ei de auro arabie: et adorabunt de ipso semper tota die bñdicēt ei.

Erit firmamētū in terra in summis montium/supertollet sup libanū fructus eius: et florebunt de ciuitate sicut fenum terre.

Sit nomē eius benedictum in secula: an=

Feria.v.

te solem permanet nomen eius.

℥t benedicentur in ipso omnes tribus terre: omnes gentes magnificabunt eum.

Benedictus dominus deus israel: qui facit mirabilia solus.

℥t benedictum nomē maiestatis eius in eternum: et replebitur maiestate eius ois terra fiat fiat. Gloria. Añ. Esto michi domine in deum protectorem.

liberasti virgā. Qm̄ bonus. ps.lxxij.

Uam bonus israel deus: his q̄ recto sunt corde.

Mei autem pene moti sunt pedes: pene effusi sunt gressus mei.

Quia zelaui super iniquos: pacem peccatorum videns.

Quia non est respectus morti eorum: et firmamentum in plaga eorum.

In labore hominum non sunt: & cum hominibus non flagellabuntur.

Ideo tenuit eos superbia: operti sunt iniquitate et impietate sua.

Prodijt quasi ex adipe iniquitas eorum:

gaudet euasisse tentatione diaboli in q̄a fere occiderat

prosperitas impedit conuersione et facit augeri vicia

121

ad matu. Fo.lvj.

transierunt in affectum cordis.

Cogitauerunt ⁊ locuti sunt nequitiã: iniquitatem in excelso locuti sunt.

Posuerunt in celum os suũ: ⁊ lingua eoꝛ transiuit in terra.

Ideo cõuertet populus meus hic: et dies pleni inuenientur in eis.

Et dixerunt / quomodo scit deus: et si est scientia in excelso.

Ecce ipsi peccatoꝛes et abundantes in seculo: obtinuerunt diuitias.

Et dixi / ergo sine causa iustificaui coꝛ meum: ⁊ laui inter innocentes manus meas.

Et fui flagellatus tota die: et castigatio mea in matutinis.

Si dicebã narrabo sic: ecce nationẽ filioꝛ tuoꝛum repꝛobaui.

Existimabam vt cognoscerem: hoc laboꝛ est ante me.

Donec intrem in sanctuariũ dei: et intelligam in nouissimis eoꝛum.

Uerumtamẽ propter dolos posuisti eis: deiecisti eos dum alleuarentur.

Quõ facti sunt in desolationẽ: subito defecerunt / perierun: propter iniquitatẽ suã.

Uelut somniũ surgentium: dñe in ciuita-

Feria.b.

te tua imaginē ipsorū ad nichilū rediges.

Q uia inflammatum est cor meum/et renes mei commutati sunt:et ego ad nichilū redactus sum et nesciui.

Ut iumentum factus sum apud te:et ego semper tecum.

euades retentione Tenuisti manū dexterā meā:⁊ in volūtate tua deduristi me/⁊ cū glia suscepisti me.

Q uid enim michi est in celo: et a te qd volui super terram.

Defecit caro mea et cor meū:deus cordis mei/et pars mea deus ineternum.

Q uia ecce qui elongant se a te peribunt: perdidisti omnes qui fornicantur abs te.

fiducia ī deū Michi autem adherere deo bonum est:po nere in domino deo spem meam.

Ut annunciē omnes predicationes tuas: in portis filie syon.   Psalmus.lrriij.

pro populo UT qd deus repulisti in finē:iratus est furor tuus sup oues pascue tue.

Memor esto cōgregatiōis tue:quā posse disti ab initio.

Redemisti virgam hereditatis tue:mōs syon in quo habitasti in eo.

Leua man⁹ tuas in sapbias eor in finē: quāta malignatus est inimicus in san:to.

123

ad matu.   Fo.lvij.

Et gloziati sunt qui oderunt te : in medio
solennitatis tue.

Posuerunt signa sua signa et non cogno=
uerunt: sicut in exitu super summum.

Quasi in silua lignozum securibus exci=
derunt ianuas eius in idipsum: in securi et
ascia deiecerunt eam.

Incenderunt igni sanctuarium tuum: in
terra polluerũt tabernaculũ nominis tui.

Dixerũt in cozde suo cognatio eoz simul:
qescere faciam⁹ oẽs dies festos dei a terra.

Signa nostra nõ vidimus /iam nõ est pzo=
pheta: et nos non cognoscet amplius.

Tsozquo de⁹ impzoperabit inimicus: irri
tat aduersarius nomen tuum in finem.

Tt quid auertis manũ tuam ꝗ dexteram
tuam: de medio sinu tuo in finem.

Deus autẽ rex noster ante secula : opera=
tus est salutem in medio terre.

Ta confirmasti in virtute tua mare: con=
tribulasti capita dzachonum in aquis.

Tu confregisti capita dzachonis : dedisti
eum escam populis ethyopum.

Tu dirupisti fontes ꝗ tozrẽtes: tu siccasti
fluuios ethan.

Tu⁹ est dies et tua est nox: tu fabzicatus
                              h.j.

Feria.b.

es auroꝛam et folem.

Tu feciſti omnes terminos terre:eſtatem
et ber tu plaſmaſti ea.

Memoꝛ eſto huius:inimicꝰ impꝛoperauit
dño/ et populus inſipiẽs icitauit nomẽ tuũ

Ne tradas beſtijs animas cõfitẽtes tibi:
et animas pauperum tuoꝛũ ne obliuiſca=
ris in finem.

Reſpice in teſtamẽtũ tuũ:q̃a repleti ſunt
q̃ obſcurati ſunt terre domibus iniq̃tatũ.

Ne auertatur humilis factus confuſus:
pauper ꝉ inops laudabunt nomen tuum.

Exurge deus iudica cauſam tuã:memoꝛ
eſto impꝛoperioꝛum tuoꝛũ eoꝛum que ab
inſipiente ſunt tota die.

Ne obliuiſcaris boces inimicoꝛ tuoꝛum:
ſupbia eoꝛũ q̃ te oderunt aſcendit ſemper.

Oꝛa. Añ. Libera ſti birgã hereditatis tue

In iſrael Confitebimur.Pſalmꝰ lxxiiij.

COnfitebimur tibi deus cõfitebimur:
et innocabimus nomen tuum.

Narrabimus mirabilia tua:cum accepe
ro tempus ego iuſticias iudicabo.

ad matu. Fo.lviij.

Liquefacta est terra ↄ omnes q̃ habitant
in ea:ego confirmaui columnas eius.

Diri iniquis nolite inique agere:ↄ delinquentibus nolite exaltare cornu.

Nolite extollere in altum cornu vestrum:
nolite loqui aduersus deum iniquitatem.

Quia neꝗ ab oriēte neꝗ ab occidēte neꝗ
a desertis montibus:qm̄ deus iuder est.

Hunc humiliat ↄ hunc exaltat:quia calix
in manu domini vini meri plenus mixto.

Et iclinauit ex hoc in hoc:veruntamē fex
ei⁹ nō est exinanita bibēt oēs pctōres terre.

Ego autem annunciabo in seculum:can-
tabo deo iacob.

Et omnia cornua peccatoꝛ confringam:
et exaltabuntur cornua iusti.Psalm⁹ lxxv.

NOtus in iudea de⁹:in israel magnū
nomen eius.

Et factus est in pace locus eius:ↄ habita
tio eius in syon.

Ibi confregit potentias:arcum/scutum/
gladium/et bellum.

Illuminās tu mirabiliter a mōtib⁹ eter-
nis:turbati sunt omnes insipientes corde.

Dormierunt somnū suum:ↄ nichil inuenerunt oēs viri diuitiaꝛ in manibus suis.

h.ij.

Feria. b.

Ab increpatiõe tua deus iacob: doʒmita=
uerunt qui afcenderunt equos.

Tu terribilis es ⁊ quis refistet tibi: ex tũc
ira tua.

De celo auditũ fecisti iudicium: terra tre=
muit et quieuit.

Cum exurgeret in iudicio deus: vt faluos
faceret omnes manfuetos terre.

Q iñ cogitatio hominis confitebitur tibi:
et reliqe cogitatiõis diem festũ agent tibi.

Touete et reddite dño deo vestro: omnes
qui in circuitu eius affertis munera.

Terribili ⁊ ei qui aufert fpiritũ pʒincipũ:
terribili apud reges terre. Gloʒia pa. Añ.
In ifrael magnum nomen eius.

Tu es deus. Toce mea.   ps. lxxbj.

VOce mea ad dominũ clamaui: voce
mea ad deum et intendit michi.

In die tribulationis mee deũ exqſiui ma
nib⁹ meis nocte cõtra eũ: ⁊ nõ fum decept⁹.

Renuitconfolari aniɱa mea: memoʒ fui
dei et delectatus fum / ⁊ exercitatus fum / et
defecit fpiritus meus.

ad matu.   Fo.lix.

Anticipauerũt bigilias oculi mei: turba=
tus sum et non sum locutus.

Cogitaui dies antiquos: et annos etnos
in mente habui.

Et meditatus sum nocte cum cozde meo:
et exercitabaz et scopebam spiritũ meum.

Nunquid ineternum pzoijciet deus: et nõ
apponet vt complacitioz sit adhuc.

Aut in finem misericozdiã suã abscidet:
a generatione in generationem.

Aut obliuiscetur misereri deus: aut con=
tinebit in ira sua misericozdias suas.

Et dixi / nunc cepi: hec inutatio dextere ex=
celsi.

Memoz fui operum domini: quia memoz
ero ab initio mirabilium tuozum.

Et meditaboz in oĩnibus operibus tuis:
et in adinuentionibus tuis exerceboz.

Deus in sctõ via tua / q̃s de⁹ magn⁹ sicut
deus noster: tu es deus q̃ facis mirabilia.

Notam fecisti in populis virtutem tuam:
redemisti in bzachio tuo populũ tuũ filios
iacob et ioseph.

Uiderunt te aque deus / biderunt te aque
et timuerunt: et turbate sunt abyssi.

Multitudo sonitus aquarum: vocem de=
                      h.iij.

Feria.b.

derunt nubes.

Et enim sagitte tue transeūt:box tonitrut tui in rota.

Illuxerunt chozuscatiões tue ozbi terre : commota est et contremuit terra.

In maribia tua/⁊ semite tue in aqs mul= tis:et bestigia tua non cognoscentur.

Oduristi sicut oues populū tuī : in ma= nu moysi et aaron. Psalmus.lxxbit.

Atendite popule meus legem meā: inclinate aurem bestram in verba ozis met.

Aperiam in parabolis os meum:loquar propositiones ab initio.

Quanta audiuimus et cognouimus ea: et patres nostri narrauerunt nobis.

Non sunt occultata a filijs eozū: in gene= ratione altera.

Narrantes laudes dñi ⁊ birtutes eius:et mirabilia eius que fecit.

Et suscitauit testimonium in iacob : et le= gem posuit in israel.

Quāta mādauit patrib⁹ nᵗis nota facere ea filijs suis: bt cognoscat generatio alta.

Filij qui nascentur et exurgent : enarra= bunt filijs suis.

Feria.v.

Et male locuti sunt de deo: dixerũt/ nũqd poterit deus parare mensam in deserto.

Quoniam percussit petram et fluxerunt aque: et torrentes inundauerunt.

Nunquid ꝥ panẽ poterit dare: aut parare mensam populo suo.

Ideo audiuit dominus ꝥ distulit: ꝥ ignis accensus est in iacob/ ꝥ ira ascẽdit in israel.

Quia non crediderũt in deo: nec sperauerunt in salutari eius.

Et mandauit nubibꝰ desuper: et ianuas celi aperuit.

Et pluit illis manna ad manducandũ: et panem celi dedit eis.

Panem angeloꝛum manducauit homo: cibaria misit eis in abundantiam.

Transtulit austrum de celo: et induxit in virtute sua affricum.

Et pluit sup eos sicut puluerem carnes: et sicut arenam maris volatilia pennata.

Et ceciderũt in medio castroꝛum eoꝛum: circa tabernacula eoꝛum.

Et manducauerũt ꝥ saturati sunt nimis: et desiderium eoꝛum attulit eis / non sunt fraudati a desiderio suo.

Adhuc esce eoꝛum erãt in oꝛe ipsoꝛum: et

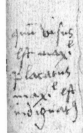

ad matu.   Fo.lxj.

ira dei ascendit super eos.

Et occidit pigues eozum: et electos israel
impediuit.

In omnib⁹ his peccauerunt adhuc: et nō
crediderunt in mirabilibus eius.

Et defecerunt in vanitate dies eozum: et
anni eozum cum festinatione.

Cum occideret eos querebant eū ₇ reuer=
tebantur:₇ diluculo veniebant ad eum.

Et rememozati sunt qᵃ deus adiutoz est
eozum:et deus excelsus redemptoz eoz est.

Et dilererūt eum in oze suo: ₇ lingua sua
mentiti sunt ei.

Coz autem eoz non erat rectum cum eo:
nec fideles habiti sunt in testamento eius.

Ipse autē est misericoz₇ et pzopicius fiet
peccatis eozum:et non disperdet eos.

Et abundauit vt auerteret iram suam:₇
non accendit omnem iram suam.

Et recozdat⁹ est quia caro sunt : spiritus
vadens et non rediens.

Quotiens exacerbauerunt eū in deserto:
in iram concitauerunt eum in inaquoso.

Et cōuersi sunt ₇ temptauerunt deum: et
sanctum israel exacerbauerunt.

Non sunt recozdati manus eius:die qua

Feria.b.

Et percuſſit inimicos ſuos in poſteriora: ob=
probrium ſempiternum dedit illis.

Et repulit tabernaculū ioſeph: et tribum
effraim non elegit.

Sed elegit tribū iuda: mōtē ſyō quē dilexit

Et edificauit ſicut vnicornis ſanctificiū
ſuum: in terra quam fundauit in ſecula.

Et elegit dauid ſeruū ſuū: et ſuſtulit eum
de gregibꝰ ouiū / depoſt fetātes accepit eū.

Paſcere iacob ſeruū ſuum: et iſrael here=
ditatem ſuam.

Et pauit eos in innocētia cordis ſui: et in
intellectibꝰ manuū ſuaꝛ deduxit eos Glōria

Añ. Tu es
deꝰ q̃ facis
mirabilia.

Propicius. Deus benerunt. ps.lxxbiij.

Deus benerunt gentes in hereditatē
tuā: polluerunt templū ſanctū tuū /
poſuerūt hieruſalem in pomoꝛ cuſtodiam

Poſuerūt morticina ſeruoꝛ tuoꝛ eſcas bo
latilibꝰ celi: carnes ſctōꝛ tuoꝛ beſtijs terre.

Effuderunt ſanguinē eoꝛū / tanꝗ aquam
in circuitu hieruſalē: ꝛ non erat q̃ ſepeliret

Facti ſumus obprobriū bicinis noſtris:
ſubſannatio et illuſio his q̃ in circuitu no=

ad matu.   Fo.lxiij.

ftro funt.

U fcꝗquo domie irafceris in finem: accen=
detur velut ignis zelus tuus.

Effunde irā tuā in gētes ꝗ te nō nouerūt:
et in regna que nomē tuū nō inuocauerūt.

Quia comederūt iacob:et locum eius de=
folauerunt.

Ne memineris iniquitatū noftrarū anti=
quaꝛ: cito anticipent nos mifericoꝛdie tue
quia pauperes facti fumus nimis.

Adiuna nos deus falutaris nofter:ꝓ ꝓ
pter gloꝛiā nois tui dūe libera nos / et ꝓpi=
cius efto petis noftris pꝛopter nomē tuum.

Ne foꝛte dicāt in gentib⁹ vbi eft de⁹eoꝛ: et
innotefcat in rationib⁹ coꝛā oculis nēis.

Ultio fanguinis feruoꝛum tuoꝛ qui effu
fus eft: introeat in confpectu tuo gemitus
compeditoꝛum.

Secundū magnitudinē bꝛachij tui: poffi=
de filios moꝛtificatoꝛum.

Et redde vicinis noftris feptuplū in finu
eoꝛum: impꝛoperium ipfoꝛum quod expꝛo
bꝛauerunt tibi domine.

Nos autem popꝣlus tuus ꝛ oues pafcue
tue:confitebimur tibi in feculum.

In generatione ꝛ generationem:annun=

Feria.b.

ciabimus laudem tuam. Psalmus.lrrir.

Qui regis israel intende: qui deducis
velut ouem ioseph.

Qui sedes sup cherubin: manifestare co=
ram effraim beniamin ⁊ manasse.

Excita potentiam tuam ⁊ veni: vt saluos
facias nos.

Deus conuerte nos : et ostende faciem tuã
et salui erimus.

Domine deus virtutum: quousq; irasce=
ris super orationem serui tui.

Cibabis nos pane lachrimarũ: et potum
dabis nobis in lachrymis in mensura.

Posuisti nos in ⁊tradictionẽvicinis nr̄is:
et inimici nostri subsannauerunt nos.

Deus virtutum conuerte nos:et ostende
faciem tuam et salui erimus.

Uineam de egypto trãstulisti: eiecisti gen
tes et plantasti eam.

Dux itineris fuisti in conspectu eius : et
plantasti radices eius et impleuit terram.

Operuit montes vmbra eius : et arbusta
eius cedros dei.

Extendit palmites suos vsq; ad mare : et
vsq; ad flumen propagines eius.

Ut quid destruxisti maceriam eius:⁊ vin

pro
populo
chryano
contra
turcas

Feria.vj.ad matu.   Fo.lxiiij.

demiāt eam oēs qui p̃tergrediuntur biā.
Exterminauit eam aper de silua:⁊ singu
laris ferus depastus est eam.
Deus birtutum cōuertere:respice de celo
et bide/et bisita bineam istam.
Et perfice eam quā plātauit dextera tua:
et super filium hois quam cōfirmasti tibi.
Intensa igni et suffossa:ab increpatione
bultus tui peribunt.
Fiat manus tua super birū dextere tue:
et super filium hois quem cōfirmasti tibi.
Et non discedimus a te: biuificabis nos/
et nomen tuum inuocabimus.
Dñe deus birtutū cōuerte nos: ⁊ ostende
faciē tuā ⁊ salui erimus. Gloria. Añ. P̃o
picius esto petis nostris dñe. ℣.Gaudebūt
labia mea:cū cātauero tibi.℟.Et aia mea
quam redemisti. ⳹ Feria sexta.   Añ.

[musical notation]

Exultate.   Idem.   Psalmus.lxxx.
Exultate deo adiutori nostro : iu=
bilate deo iacob.
Sumite psalmū ⁊ date tympa=
nū:psalteriū iocundū cū cythara

135

Feria.vj.

Buccinate in neomenia tuba : in insigni die solennitatis vestre.

Quia preceptum in israel est: et iudicium deo iacob.

Testimonium in ioseph posuit illud cum exiret de terra egypti : linguam quam non nouerat audiuit.

Diuertit ab oneribus dorsum eius : manus eius in cophino seruierunt.

In tribulatione inuocasti me et liberaui te : exaudiui te in abscondito tempestatis / probaui te apud aquam contradictionis.

Audi populus meus ⁊ contestabor te : israel si audieris me non erit in te deus recens / neq; adorabis deum alienum.

Ego enim sum dñs deus tuus qui eduri te de terra egypti: dilata os tuum ⁊ implebo illud.

Et non audiuit populus meus vocẽ meã: et israel non intendit michi.

Et dimisi eos secundum desyderia cordis eorum: ibunt in adinuentionibus suis.

Si populus meus audisset me: israel si in vijs meis ambulasset.

Pro nichilo forsitan inimicos eorũ humiliassem: et super tribulantes eos misissem ad matu.   Fo.lxv.

manum meam.

Inimici dñi mētiti sunt ei: et erit tempus eozum in secula.

Et cibauit illos er adipe frumēti:et de petra melle saturauit eos.   Psalmus.lrrrj.

Eus stetit in synagoga deozum : in medio autem deos dijudicat.

Usꝗquo iudicatis iniquitatem:et facies peccatozum sumitis.

Iudicate egeno et pupillo:humilē ꝛ pauperem iustificate.

Eripite pauperem: ꝛ egenū de manu peccatozis liberate.

Nescierunt neꝗ intellexerunt in tenebzis ambulant:mouebuntur oīa fundamenta terre.

Ego dixi dij estis:et filij ercelsi omnes.

Uos autē sicut hoies moztemini : et sicut vnus de pzincipibus cadetis.

Surge deus iudica terrā: quoniā tu heredita bis in omnibus gentibus. Glozia patri.Añ.Erultate deo adiutozi nostro.

Tu solus. Deus quis.   Psalm⁹.lrrrij.
                                   t.f.

Feria. vj.

Eus qs similis erit tibi : ne taceas neqʒ compescaris deus.

Qm ecce inimici tui sonuerunt: ҭ qui oderunt te extulerunt caput.

Super populū tuum malignauerūt consiltū: ҭ cogitauerunt aduersus sctōs tuos.

Dixerunt / benite et disperdamus eos de gente:ҭ non memozetur nomē israel vltra.

Qm cogitauerunt vnanimiter simul aduersus te testamentū disposuerunt: tabernacula idumeozum et ismaⱨelite.

Moab/ ҭ agareni/gebal/ ҭ amon/et amalecⱨ: alienigene cum ⱨabitantibus tyzum.

Etenim assur benit cum illis: facti sunt in adiutozium filijs lotⱨ.

Fac illis sicut madian et sysare : sicut iabin in tozrente cyson.

Disperierunt in endoz : facti sunt vt stercus terre.

Pone pzincipes eozum: sicut ozeb/ ҭ zeb/ ҭ zebee/ ҭ salmana.

Omnes pzincipes eozum: qui dixerūt ⱨereditate possideamus sanctuarium dei.

Deus meus pone illos vt rotam : et sicut stipulam ante faciem benti.

Sicut ignis qui comburit siluam:et sicut

138

ad matu.　　Fo.lxvj.

flamma comburens montes.

I ta perlequeris illos in tempeltate tua: et in ira tua turbabis eos.

I mple facies eoꝛū ignominia: et querent nomen tuum domine.

E rubelcant et conturbentur in leculū leculi: et confundantur et pereant.

E t cognolcāt quia nomē tibi deꝰ: tu solus altillimus in omni terra. Plalmꝰ.lxxxiij.

Q uā dilecta tabernacula tua domie virtutum: concupilcit et deficit anima mea in atria domini.

Coꝛ meum et caro mea: exultauerunt in deum biuum.

E teni paller inuenit libi domū: et turtur nidum libi vbi reponat pullos luos.

Altaria tua domine virtutum: rex meus et deus meus.

B eati qui habitant in domo tua: in lecula leculoꝛum laudabunt te.

B eatus bir cuius elt auxiliū abs te: alcen lioes in coꝛde luo dilpoluit in balle lachꝛymarum in loco quem poluit.

E tenim benedictiones dabit legillatoꝛ: ibunt de birtute in birtutē bidebitur deus deoꝛum in lyon.

　　　　　　　　i.ij.

Feria.vi.

Dñe deus virtutū exaudi ozatione meā: auribus percipe deus iacob.

Pzotectoz noster aspice deus: et respice in faciem chzisti tui.

Quia melioz est dies vna in atrijs tuis: super milia.

Elegi abiectus esse/in domo dei met: magis ꝗ habitare in tabernaculis peccatozū.

Quia misericozdiam etveritatem diligit deus: gratiam et gloziam dabit dominus.

Non pziuabit bonis eos qui ambulāt in innocentia: domie virtutum beatus homo qui sperat in te. Gloria. Añ. Tu solus altissimus super omnem terram.

Benedixisti. Idem.   Psalmꝰ. lxxxiiij.

Benedixisti domine terram tuā: auertisti captiuitatem iacob.

Remisisti iniquitatē plebis tue: operuisti omnia peccata eozum.

Mitigasti omnem iram tuā: auertisti ab ira indignationis tue.

Conuerte nos deus salutaris noster: et auerte iram tuam a nobis.

ad matu.　　　Fo.lrbij.

Nunqd ieternū irasceris nobis: aut exten
des irā tuā a generatione in generatione.

D eus tu conuersus biuificabis nos: et
plebs tua letabitur in te.

O stende nobis domine misericordiā tuā:
et salutare tuum da nobis.

A udiam quid loquatur in me dūs deus:
qm loquetur pacem in plebem suam.

E t sup sanctos suos: et in eos qui couer=
tuntur ad cor.

Ueruntamen prope timētes eum saluta=
re ipsius: vt inhabitet glia in terra nostra.

M isericordia τveritas obuiauerunt sibi:
iusticia τ pax osculate sunt.

Ueritas de terra orta est: τ iusticia de celo
prospexit.

E tenim dominus dabit benignitatem: et
terra nostra dabit fructum suum.

Iusticia ante eum ambulabit: τ ponet in
bia gressus suos.　　　Psalmus.lrrrb.

INclina dūe aurem tuā τ exaudi me:
quoniam inops et pauper sum ego.

Custodi aiam meā qm sāctus sum: saluū
fac seruū tuū deus meus sperantem in te.

M iserere mei domine quoniā ad te clama
ui tota die: letifica animā serui tui qm ad
　　　　　t.iij.

Feria.vj.

te domine animam meam leuaui.

Q̃m tu dñe suauis ⁊ mitis: ⁊ multe misericoꝛdie omnibus inuocantibus te.

Auribus percipe domie oꝛationẽ meã: et intende voci depꝛecationis mee.

In die tribulationis mee clamaui ad te: quia exaudisti me.

Non est similis tui in dijs domie: et nõ est secundum opera tua.

Oẽs gẽtes qualcũꝗ fecisti veniẽt ⁊ adoꝛabũt coꝛã te dñe: ⁊ gloꝛificabũt nomẽ tuum.

Quoniam magnus es tu: ⁊ faciẽs mirabilia tu es deus solus.

Deduc me domie in via tua/ et ingrediar inveritate tua: letetur coꝛ meumvt timeat nomen tuum.

Confiteboꝛ tibi dñe de⁹ meus in toto coꝛde meo: ⁊ gloꝛificabo nomẽ tuũ ineternũ.

Quia misericoꝛdia tua magna est super me/ ⁊ eruisti aiam meã ex inferno inferioꝛi

Deus iniqui insurrererũt sup me/ ⁊ synagoga potentiũ quesierunt animã meam: ⁊ non pꝛoposuerunt te in conspectu suo.

Et tu domie de⁹ miserator et misericoꝛs: patiens ⁊ multe misericoꝛdie ⁊ verax.

Respice in me ⁊ miserere mei: da imperiũ

(marginalia: grake acteꝗ / deliberauone / Vᵗ tribulatione)

(marginalia: ⁊ liberauo a peans)

ad matu.   Fo.lxviij.

puero tuo/ ⁊ salum fac filiu ancille tue.

Hac mecum signu in bono : vt videar qui
oderut me et confundantur/ qm tu domine
adiuuisti me ⁊ consolatus es me. Gloria.
Añ. Benedixisti domine terram tuam.

[musical notation]

Fundamenta. Idem.   Psalm⁹.lxxxvj.

Fundamenta eius in montibus san=
ctis:diligit dominus portas syõ su=
per omnia tabernacula iacob.

Gloriosa dicta sunt de te:ciuitas dei.

Memor ero raab⁊ babylonis:scietib⁹ me.

Ecce alienigene ⁊ tyrus ⁊ populus ethyo=
pum:hi fuerunt illic.

Nunquid syõ dicet homo: et homo natus
est in ea/et ipse fundauit eam altissimus.

Dñs narrabit in scripturis populorum:
et principum horum qui fuerunt in ea.

Sicut letantiu:omniu habitatio in te.

Domie deus salutis mee:(ps.lxxxvij
in die clamaui et nocte coram te.

Intret in conspectu tuo oratio mea:incli=
na aurem tuam ad precem meam.

Quia repleta est malis anima mea:⁊ vi=
t.iiij.

Feria. vj.

ta mea in inferno appropinquauit.

Estimatus sum cum descēdentibus in lacum: fact⁹ sum sicut homo sine adiutorio inter mortuos liber.

Sicut vulnerati dormiētes in sepulchris quorum non es memor amplius: et ipsi de manu tua repulsi sunt.

Posuerūt me in lacu inferiori: in tenebrosis et in vmbra mortis.

Super me confirmatus est furor tuus: et omnes fluctus tuos induristi super me.

Longe fecisti notos meos a me: posuerūt me abominationem sibi.

Traditus sum ꞇ nō egrediebar: oculi mei languerunt pre inopia.

Clamaui ad te dñe: tota die expandi ad te manus meas.

Nunquid mortuis facies mirabilia: aut medici suscitabunt et confitebuntur tibi.

Nunqd narrabit aliquis in sepulchro misericordiā tuā: et veritatē tuā in pditione.

Nunquid cognoscenꞇ in tenebris mirabilia tua: et iusticia tua in terra obliuionis.

Et ego ad te dñe clamaui: et mane oratio mea preueniet te.

Vt quid dñe repellis orationē meā: auer=

ad matu.   Fo.lrir.

tis faciem tuam a me.

P auper sum ego et in laboribus a iuuentute mea: exaltatus autē humiliatus sum
et conturbatus.

In me transierunt ire tue: et terrores tui
conturbauerunt me.

Circundederunt me sicut aqua tota die :
circundederunt me simul.

Elongasti a me amicum et proximum: et
notos meos a miseria.

Gloria patri. Sicut. Añ. Fundamenta
eius in montibus sanctis.

Benedictus. Misericordias. ps. lrrrbiij.

M Isericordias dñi: in eternū cātabo.
In generatiōe et generationē: annunciabo veritatem tuam in ore meo.

Q ñ dixisti in eternū misericordia edifica-
bif in celis: preparabif veritas tua in eis.

Disposui testamētum electis meis: iura-
ui dauid seruo meo vsqȝ ineternum prepa-
rabo semen tuum.

Et edificabo in generatione ȝ generationem: sedem tuam.

Feria.vj.

Confitebuntur celi mirabilia tua domie: etenim veritatem tuam in ecclesia sctorū.

Quoniā quis in nubibus equabitur domino: similis erit domino in filijs dei.

Deus qui glorificatur in consilio sanctorum: magnus et terribilis super omes qui in circuitu eius sunt.

Domie deus virtutum quis similis tibi: potens es dñe & veritas tua in circuitu tuo

Tu domiaris potestatis maris: motum autem fluctuum eius tu mitigas.

Tu humiliasti sicut vulneratū superbū: in brachio virtutis tue dispersisti inimicos tuos.

Tui sunt celi & tua est terra / orbem terre et plenitudinē eius tu fundasti: aquilonem et mare tu creasti.

Thabor / & hermon / in nomie tuo exultabunt: tuum brachium cum potentia.

Firmetur manus tua et exaltetur dextera tua: iusticia et iudicium preparatio sedis tue.

Misericordia & veritas precedēt facie tuā: beatus populus qui scit iubilationem.

Domie in lumine vultˀtui ambulabunt / et in nomine tuo exultabunt tota die: et in

ad matu.   Fo.lrr.

iustitia tua eraltabuntur.

Qm gloria virtutis eoꝛu tu es: ⁊ in bene=
placito tuo eraltabitur coꝛnu noſtrum.

Quia domini eſt aſſumptio noſtra: ⁊ ſan
cti iſrael regis noſtri.

Tunc locutus es in viſione ſanctis tuis ⁊
diriſti: poſui adiutoꝛiū in potente/⁊ eralta
ui electum de plebe mea.

Inueni dauid ſeruum meum: oleo ſācto
meo vnri eum.

Manus enim mea auriliabitur ei: et bꝛa=
chium meum confirmabit eum.

Nichil ꝑficiet inimicus in eo: ⁊ filius ini=
quitatis non apponet nocere ei. *pro rege*

Et concidā a facie ipſius inimicos eius: ⁊
odientes eum in fugam conuertam.

Et veritas mea et miſericoꝛdia mea cum
ipſo: ⁊ in nomie meo eraltabiꝷ coꝛnu eius.

Et ponam in mari manum eius: ⁊ in flu=
minibus derteram eius.

Ipſe inuocauit me pater meus es tu: deꝰ
meus et ſuſceptoꝛ ſalutis mee.

Et ego pꝛimogenitū ponam illum: ercel=
ſum pꝛe regibus terre.

Ineternū ſeruabo illi miſericoꝛdiā meā:
et teſtamentum meum fidele ipſi.

147

ad matu.   Fo.lrrj.

Auertisti adiutorium gladij eius: et non
es auriliatus ei in bello.

Destruristi eum ab emundatione: et sede
eius in terra collisisti.

Minorasti dies temporis eius: perfudisti
eum confusione.

Usq̃quo domine auertis in finem: erar=
descet sicut ignis ira tua.

Memorare que mea substantia: nunquid
enim vane cõstituisti oẽs filios hoim.

Quis est homo qui viuet et non videbit
mortẽ: eruet animã suam de manu inferi.

Ubi sunt misericordie tue antiq̃ domine:
sicut iurasti dauid in veritate tua.

Memor esto dñe obprobrij seruorũ tuorꝝ:
quod cõtinui in sinu meo multaꝝ gentiũ.

Quod exprobrauerũt inimici tui dñe: qd̃
exprobrauerũt cõmutationẽ christi tui.

Benedictus dñs ineternũ: fiat fiat.

CNon dicitur ad noctur. Psalmus lrrrir.
DOmine refugium factus es nobis:
a generatione in generationem.

Priusq̃ mõtes fierẽt aut formaretꝛ terra
et orbis: a seculo Ꝝ ꝰsq̃ in seculũ tu es deus

Ne auertas hominem in humilitatem: ꝛ
diristi conuertimini filij hominum.

Feria.bj.

Q̃uoniam mille anni ante oculos tuos :
tanq̃ dies hesterna que p̃teriit.

Et custodia in nocte: que p nichilo haben
tur eo꒓um anni erunt.

Mane sicut herba trãseat mane flo꒓eat et
transeat:vespe decidat induret ꜫ arescat.

Q̃uia defecim⁹ in ira tua: ꜫ in furo꒓e tuo
turbati sumus.

Posuisti iniq̃tates nostras i cõspectu tuo:
seculũ nostrũ in illuminatiõe vultus tui.

Q̃uoniam omnes dies nostri defecerunt:
et in ira tua defecimus.

Anni nostri sicut aranea meditabuntur:
dies anno꒓ nr̃o꒓ũ in ipsis septuagita ãnt.

Si autem in potentatibus octoginta an=
ni:et amplius eo꒓um labo꒓ et dolo꒓.

Q̃ m̃ supuenit mãsuetudo: ꜫ co꒓ripiemur

Q̃uis nouit potestatẽ ire tue: et p꒓e timo=
re tuo iram tuam dinumerare.

Dexteram tuã sic notam fac: et eruditos
co꒓de in sapientia.

Conuertere domine vsq̃q̃quo:ꜫ dep꒓ecabi=
lis esto super seruos tuos.

Repleti sum⁹ mane mr̃a tua: et exultaui=
mus ꜫ delectati sum⁹ in oib⁹ dieb⁹ nostris.

Letati sumus p꒓o diebus quibus nos hu

ad matu. Fo.lrrij.

miliaſti: annis quibus bidimus mala.

Reſpice in ſeruos tuos et in opera tua: et dirige filios eoꝛum.

Et ſit ſplendoꝛ vñi dei noſtri ſuper nos: et opera manuũ noſtrarũ dirige ſuper nos / et opus manuum noſtrarum dirige.

ut opus / proſpere, deus

℣ Non dicitur ad noctur. Pſalmus. rc.

Ui habitat in adiutoꝛio altiſſimi: in pꝛotectione dei celi commoꝛabitur.

Dicet domino ſuſceptoꝛ meus es tu et refugium meum deus meus: ſperabo in eũ.

de ꝑtectione dei

Quoniam ipſe liberauit me de laqueo venantium: et a verbo aſpero.

Scapulis ſuis obũbꝛabit tibi: ꝗ ſub pēnis eius ſperabis.

Scuto circundabit te veritas eius: non timebis a timoꝛe nocturno.

A ſagitta volante in die a negocio pambulante in tenebꝛis: ab incurſu et demonio meridiano.

Cadēt a latere tuo mille / ꝗ decē milia a dextris tuis: ad te autē nõ appꝛopinquabit.

demonis

Cerumtamen oculis tuis cõſiderabis: et retributionem peccatoꝛum videbis.

Quoniam tu es domine ſpes mea: altiſſimum poſuiſti refugium tuum.

150

Feria.vj.

Non accedet ad te malum: ⁊ flagellū non appropinquabit tabernaculo tuo.

Quoniam angelis suis mandauit de te: vt custodiant te in omnibus vijs tuis.

In manibus portabunt te: ne forte offendas ad lapidem pedem tuum.

Super aspidē ⁊ basiliscum ambulabis: ⁊ conculcabis leonem et draconem.

Qm̄ in me sperauit liberabo eum: protegam eum quoniā cognouit nomen meū.

Clamauit ad me et ego exaudiam eum: cum ipso sum in tribulatiōe / eripiam eum et glorificabo eum.

Longitudine dierū replebo eum: ⁊ ostendam illi salutare meum.

Non dicitur ad noctur.   Psalm⁹.xcj.

Bonum est confiteri domino: et psallere nomini tuo altissime.

Ad annunciandum mane misericordiam tuam: et veritatem tuam per noctem.

In decacordo psalterio: cum cantico in cythara.

Quia delectasti me dr̄e in factura tua: et in operibus manuum tuarum exultabo.

Qm̄ magnificata sunt opera tua domie: nimis pfunde facte sunt cogitatiōes tue.

ad matu. Fo.lxxiij.

Uir insipiẽs non cognoscet: ⁊ stultus non intelliget hec.

Cum exorti fuerint pctõres sicut fenũ: et apparuerint oẽs qui operantur iniquitatẽ

Ut intereant in seculum seculi: tu autem altissimus in eternum domine.

Quoniã ecce inimici tui domie quoniam ecce inimici tui peribunt: et dispgentur omnes qui operantur iniquitatem.

Et exaltabit sicut bnicornis cornu meũ:⁊ senectus mea in misericordia bberi.

Et desperit oculus meⁱinimicos meos: et insurgentibⁱ in me malignantibus audiet auris mea.

Iustus bt palma florebit: sicut cedrus libani multiplicabitur.

Plantati in domo domini: in atrijs domⁱ dei nostri florebunt.

Adhuc multiplicabuntur in senecta bberi: et bene patientes erunt bt anuncient.

Quoniam rectus dominus deus noster: et non est iniquitas in eo.

CNon dicitur ad noctur. Psalmus.xcij.

DOminus regnauit decorem indutⁱ est: indutus est dominus fortitudinem et precinxit se.

k.j.

Feria. vi.

Eteni firmauit orbē terre: q̃ nō ꝝmouebit
Parata sedes tua ex tunc: a seculo tu es.
Eleuauerunt flumina domine: eleuaue=
runt flumina vocem suam.
Eleuauerunt flumina fluctus suos: a vo=
cibus aquarum multarum.
Mirabiles elationes maris: mirabilis in
altis dominus.
Testimonia tua credibilia facta sunt ni=
mis: domū tuam decet sanctitudo domine
in longitudinem dierum.   Psalm⁹. xciij.

Eus vltionū dominus: deus vltio=
num libere egit.
Exaltare qui iudicas terram: redde retri
butionem superbis.
Tsq̃quo peccatores domine: vsq̃quo pec
catores gloriabuntur.
Effabuntur ⁊ loquentur iniquitatem: lo
quentur omnes qui operantur iniusticiā.
Populum tuum domine humiliauerunt:
et hereditatem tuam vexauerunt.
Tiduam ⁊ aduenam interfecerunt: ⁊ pu=
pillos occiderunt.
Et dixerunt/nonvidebit dominus: nec in=
telliget deus iacob.
Intelligite insipientes in populo: et stulti

ad matu.   Fo.lxxiiij.

aliquando ſapite.

Q ui plantauit aurem nõ audiet: aut qui finxit oculum non conſiderat.

Q ui corripit gẽtes non arguet: qui docet hominem ſcientiam.

D ñs ſcit cogitatiões hoim: qm̃ vane ſunt

B eatus homo quem tu erudieris domie: et de lege tua docueris eum.

U t mitiges eum a dieb⁹ malis: donec fo-diatur peccatori fouea.

Q uia non repellet dominus plebem ſuã: et hereditatem ſuam non derelinquet.

Q uoaduſq̋ iuſticia conuertaf in iudiciũ: et qui iuxta illã omẽs qui recto ſunt corde.

Q uis ꝫ ſurget mihi aduerſ⁹ malignãtes: aut q̋s ſtabit mecũ aduerſ⁹ opãtes iniqtatẽ.

N iſi quia dominus adiuuit me: paulomi-nus habitaſſet in inferno anima mea.

S i dicebam motus eſt pes meus : miſeri-cordia tua domine adiuuabat me.

S cdm multitudinẽ dolor meorũ in corde meo: ꝫ ſolatiões tue letificauerũt aiaz meã

N unquid adheret tibi ſedes iniquitatis: qui fingis dolorem in precepto.

C aptabunt in animam iuſti: et ſanguinẽ innocentem condemnabunt.

                                        k.ij.

Feria. vj.

¶ Et factus est michi dominus in refugiñ: et deus meus in adiutorium spei mee.

Et reddet illis iniquitatem ipsorum/et in malicia eorum disperdet eos: dispdet illos dominus deus noster.

¶ Non dicitur ad noctur. Psalmus. xciiij.

Enite exultemus domio: iubilem⁹ deo salutari nostro.

Preocupemus faciem eius in confessiõe: et in psalmis iubilemus ei.

Qñ deus magnus dominus: et rex magnus super omnes deos.

Quia in manu eius sunt omñes fines terre: et altitudines montium ipsius sunt.

Quoniã ipsius est mare et ipse fecit illud: et siccam manus eius formauerunt.

Uenite adoremus et procidamus/ et ploremus ante dominum qui fecit nos: quia ipse est dominus deus noster.

Et nos popul⁹ pascue ei⁹: ⁊ oues man⁹ ei⁹

Hodie si vocem eius audieritis: nolite obdurare corda vestra.

Sicut in irritatione: secundum diem temptationis in deserto.

Ubi tentauerunt me patres vestri: probauerunt et viderunt opera mea.

155

ad matu.   **Fo.lxxb.**

Quadraginta annis offesus fui genera=
tioni illi: et diri semper errant corde.

Et isti non cognouerūt vias meas: vt tu=
raui in ira mea li intrabūt in requiē meā.

Gloria. Añ. Bñdictus dñs in eternum.

Cantate dño. Idem.   Psalmus. xcb.

Antate domio canticū nouum: can=
tate domino omnis terra.

Cantate domino ꝫ bñdicite nomini eius:
annunciate de die in diem salutare eius.

Annunciate inter gētes gloriam eius: in
omnibus populis mirabilia eius.

Quoniam magnus dominus ꝫ laudabi=
lis nimis: terribilis est super omnes deos.

Quoniam omnes dij gentium demonia:
dominus autem celos fecit.

Cōfessio ꝫ pulcritudo in cōspectu eꝰ: sctí=
monia et magnificētia in sctificatiōe eius.

Afferte dño patrie gentiū afferte dño glo
riā ꝫ honorē: afferte dño gloriā nomini eꝰ.

Tollite hostias et introite in atria eius:
adorate dominum in atrio sancto eius.

Commoueatur a facie eiusvniuersa ter=
                       k.iij.

Feria.vj

ra:dicite in gentibus quia dñs regnauit.
Etenim correxit orbē terre qui non cōmo=
uebitur:iudicabit populos in equitate.
Letētur celi et exultet terra/cōmoueatur
mare et plenitudo eius: gaudebunt campi
et omnia que in eis sunt.
Tunc exultabūt omīa ligna siluarū a fa=
cie dñi:quia venit/qm venit iudicare terrā.
Iudicabit orbē terre in equitate: ⁊ popu=
los in veritate sua.   Psalmus.xcvj.
DOminus regnauit exultet terra:le=
     tentur insule multe.
Nubes ⁊ caligo in circuitu eius:iusticia⁊
iudicium correctio sedis eius.
Ignis ante ipsum precedet: ⁊ inflamma=
bit in circuitu inimicos eius.
Alluxerunt fulgura eius orbi terre:vidit
et commota est terra.
Montes sicut cera fluxerunt a facie domi
ni:a facie domini omnis terra.
Annunciauerunt celi iusticiam eius:⁊ vi
derunt omnes populi gloriam eius.
Confundantur omnes qui adorant scul=
ptilia:⁊ qui gloriantur in simulacris suis.
Adorate eum omēs angeli eius: audiuit
et letata est syon.

Sabbato ad matu.   Fo.lrrbj.

Et exultauerūt filie iude: propter iudicia tua domine.

Quoniā tu dn̄s altiſſimus ſuper omnem terrā:nimis exaltatus es ſup oēs deos.

Qui diligitis dominū odite malū : cuſto= dit dominus animas ſanctozuin ſuozū de manu peccatozis liberabit eos.

Lur ozta eſt iuſto:et rectis cozde leticia.

Letamini iuſti in domino: et confitemini memozie ſctificationis eius. Glozia. Añ.

Cantate domio et benedicite nomini eius. ƀ. Intret oratio mea: in conſpectu tuo do= mine.℞. Inclina aurem tuam ad pzecem meam.   ℭSabbato.Añ.

Quia mirabilia.ℭantate dn̄o.ƥs.rcbij.

Antate domio canticum n̄ouū : quia mirabilia fecit.

Saluauit ſibi dertera eius : et bzachium ſanctum eius.

Notum fecit dominus ſalutare ſuum: in conſpectu gentiū reuelauit iuſticiā ſuam.

Recozdatus eſt miſericozdie ſue ⁊veritā= tis ſue:domui iſrael.

                         k.iiij.

158

ad matu.   Fo.lrrvij.

in columna nubis loquebatur ad eos.

Cuſtodiebāt teſtimonia eius: et pꝛeceptū quod dedit illis.

Domine deus noſter tu eraudiebas eos/ deus tu pꝛopicius fuiſti eis: et vlciſcens in omnes adinuentiones eoꝛum.

Eraltate dñm deum noſtrum:et adoꝛate in mōte ſancto eius/qñ ſanctus dominus deus noſter. Gũa patri. Añ. Quia mira= bilia fecit dominus.

Iubilate. Idem.   Pſalmus.rcir.

IUbilate dño omnis terra:ſeruite do mino in leticia.

Introite in cōſpectu eius:in exultatione.

Scitote quoniam dominus ipſe eſt deus: ipſe fecit nos et non ipſi nos.

Populus eius ⁊ oues paſcue eius introi= te poꝛtas eius in confeſſione:atria eius in hymnis confitemini illi.

Laudate nomē eius quoniam ſuauis eſt dominus: ineternum miſericoꝛdia eius/et vſcp in generatione et generationem veri= tas eius.   Pſalmus.C.

Sabbato

Misericordiam et iudicium cantabo tibi domine: psallam et intelligã in via immaculata quando venies ad me.

Perambulabã in innocentia cordis mei: in medio domus mee.

Non pponebã ante oculos meos rem iniustam: facientes preuaricationes odiui.

Non adhesit michi cor prauum: declinantem a me malignum non cognoscebam.

Detrahentem secreto proximo suo: hunc persequebar.

Superbo oculo et insatiabili corde : cum hoc non edebam.

Oculi mei ad fideles terrebt sedeãt mecũ: ambulãs in via immaculata hic michi ministrabat.

Non habitabit in medio domus mee qui facit superbiam : qui loquitur iniqua non direxit in conspectu oculorum meorum.

In matutio interficiebã oẽs pctõres terre: vt dispderẽ de ciuitate dñi oẽs operãtes iniqtatẽ. Glia. Añ. Jubilate deo ois terra

Clamor meus. O ñe exaudi. Psalmͧ. cj.

ad matu.   Fo.lxxviij.

Omine exaudi orationem meam: ⁊
clamor meus ad te beniat.

Non auertas faciem tuam a me: in qua=
cunq die tribulor inclina ad me aurē tuā.

In quacunq die inuocauero te: belociter
exaudi me.

Quia defecerunt sicut fumus dies mei: ⁊
ossa mea sicut cremium aruerunt.

Percussus sumbt fenum ⁊ aruit cor meū:
quia oblitus sum comedere panē meum.

A boce gemitus mei: adhesit os meū car=
ni mee.

Similis factꝰ sum pellicano solitudinis:
factus sum sicut nycticorax in domicilio.

Uigilaui: et factꝰ sum sicut passer solita=
rius in tecto.

Tota die exprobrabāt michi inimici mei:
et q laudabāt me aduersum me iurabant.

Quia cinerē tanq panem māducabam:
et potum meum cum fletu miscebam.

A facie ire et indignationis tue: quia ele=
uans allisisti me.

Dies mei sicut bmbra declinauerunt: et
ego sicut fenum arui.

Tu autem dñe ineternū permanes: ⁊ me
mortale tuū in generatiōe ⁊ generationē.

Sabbato.

Tu exurges misereberis syon: quia tempus miserendi eius quia venit tempus.

Qm placuerut seruis tuis lapides eius: et terre eius miserebuntur.

Et timebunt gentes nomen tuu domie: et omnes reges terre gloriam tuam.

Quia edificauit dns syon: ꝯ videbitur in gloria sua.

Respexit in orationem humilium: et non spreuit precem eorum.

Scribantur hec in generatione altera: et populus qui creabitur laudabit dominu.

Quia prospexit de excelso sancto suo: dns de celo in terram aspexit.

Ut audiret gemitus compeditoru: vt solueret filios interemptorum.

Ut annuncient in syon nomen domini: et laudem eius in hierusalem.

In conuentendo populos in vnum: et reges vt seruiant domino.

Respondit ei in via virtutis sue: paucitatem dierum meorum nuncia michi.

Ne reuoces me in dimidio dierum meoꝛ: in generatione et generationem anni tui.

In initio tu domine terram fundasti: et opera manuum tuarum sunt celi.

ad matu.   Fo.lxxix.

Ipsi peribunt tu autem permanes: ⁊ oēs sicut vestimentum veterascent.

Et sicut opertozium mutabis eos et mutabuntur:tu autem idem ipse es ⁊ anni tui non deficient.

Filij seruoƶ tuoƶū habitabunt: et semen eoƶū in seculū dirigetur.   Psalmus. cij.

Benedic anima mea dūo: ⁊ oīa que intra me sunt nomini sancto eius.

Benedic anima mea domino: ⁊ noli obliuisci omnes retributiones eius.

Qui pzopiciatur oībus iniquitatibᵍ tuis: qui sanat omnes infirmitates tuas.

Qui redimit de interitu vitam tuam:qui cozonat te in misericozdia ⁊ miserationibᵍ

Qui replet in bonis desideriū tuū : renouabitur vt aquile iuuentus tua.

Faciens misericozdias dominus:⁊ iudicium omnibus iniuriam patientibus.

Notas fecit vias suas moysi:filijs israel boluntates suas.

Miseratoƶ ⁊ misericoƶs dominus:longanimis et multum misericoƶs.

Non in perpetuum irascetur:neqƶ in eternum comminabitur.

Non scdm pctā nostra fecit nobis:neqƶ se-

Sabbato.

cundū iniquitates nr̄as retribuit nobis.

Q̄m scdm altitudinem celi a terra: c or̄robo-
rauit miam suam super timertes se.

Q̄uantum distat or̄tus ab occidente: longe fecit a nobis iniquitates nostras.

Q̄uomodo miseretur pater filior̄ misertus est dominus timētibus se: quoniā ipse
cognouit figmentum nostrum.

R̄ecor̄datus est quoniam puluis sumus:
homo sicut fenum dies eius tāq̄ flos agri
sic efflor̄ebit.

Q̄m spūs pt̄ransibit in illo ꝯ nō subsistet:
et non cognoscet amplius locum suum.

M̄ isericor̄dia autem domini ab eterno et
bsꝗ ineternum: super timentes eum.

Ēt iusticia illius in filios filior̄ū: his qui
seruant testamentum eius.

Ēt memor̄es sunt mādator̄um ipsius: ad
faciendum ea.

D̄ n̄s in celo parauit sedem suā: et regnū
ipsius omnibus dominabitur.

B̄enedicite dn̄o oēs angeli eius: potentes
birtute faciētes berbum illius / ad audien-
dam bocem sermonum eius.

B̄enedicite dn̄o om̄es birtutes eius: mini
stri eius qui facitis boluntatem eius.

ad matu. Fo.lxxx.

Bñdicite dño oia opera eius in oi loco do
minatiõis eius:bñdic aia mea dño. Gła.
Añ. Clamoz meus ad te veniat deus.

Benedic.Idem. Pfalmus.ciij.

Benedic aia mea dño: dñe deus me⁹
magnificatus es vehementer.

Confeffione ⁊ decozem induifti: amictus
lumine ficut veftimento.

Extendens celum ficut pellem: qui tegis
aquis superioza eius.

Qui ponis nubem afcenfum tuū:qui am
bulas super pennas ventozum.

Qui facis angelos tuos fpiritus:⁊ mini=
ftros tuos ignem bzentem.

Qui fundafti terram super ftabilitatem
fuā:non inclinabitur in feculum feculi.

Abyffus ficut veftimentū amictus eius:
super montes ftabunt aque.

Ab increpatione tua fugient: a voce toni
trui tui fozmidabunt.

Afcendunt montes et defcendunt campi:
in locum quem fundafti eis.

Terminum pofuifti quem non transgre=

libus suis collocabuntur.

Exibit homo ad opus suum: et ad opera=
tionem suam vsq ad vesperam.

Quam magnificata sunt opera tua do=
mine: oīa in sapientia fecisti/ impleta est
terra possessione tua.

Hoc mare magnū et spaciosum manib⁹:
illic reptilia quoꝛum non est numerus.

Animalia pusilla cum magnis: illic na=
ues pertransibunt.

Dꝛacho iste quē foꝛmasti ad illudendū ei:
ōia a te expectāt vt des illis escā in tēpoꝛe.

Dante te illis colligent: aperiente te ma=
num tuam/ omnia implebuntur bonitate.

Auertēte autem te faciem turbabuntur:
auferes spiritū eoꝛum et deficient/ ⁊ in pul=
uerem suum reuertentur.

Emitte spiritum tuum et creabuntur: et
renouabis faciem terre.

Sit gloꝛia domini in seculum: letabitur
dominus in operibus suis.

Qui respicit terram ⁊ facit eam tremere:
qui tangit montes et fumigant.

Cantabo domino in vita mea: psallā deo
meo q̄ diu sum.

Iocundū sit ei eloquium meum: egobero
l.j.

Sabbato

delectabo2 in domino.

Deficiãt pctō2es a terra ⁊ iniqui itabt nō sint:benedic aia mea dño. Psalmus. ciiij.

Onfitemini domio ⁊ inuocate nomē eius:annūciate inter gētes opa eiᵒ.

Cantate ei ⁊ psallite ei: narrate oīa mira bilia eius/laudamini in nomie sctō eius.

Letetur co2 querentium dominū:querite dominum ⁊ confirmamini/querite faciem eius semper.

Mementote mirabiliū eius que fecit: p2o digia eius et iudicia o2is eius.

Semē ab2aham serui eius:filij iacob ele=cti eius.

Ipse dñs deus noster: in vniuersa terra iudicia eius.

Memo2 fuit in seculū testamēti sui: verbi quod mandauit in mille generationes.

Quod disposuit ad ab2aham:⁊ iuramen ti sui ad ysaac.

Et statuit illud iacob in p2eceptū: ⁊ israel in testamentum eternum.

Dicens/ tibi dabo terram chanaan:funi culum hereditatis bestre.

Cum essent numero b2eui : paucissimi et incōle eius.

ad matu.   Fo.lxxxiij.

ignem vt luceret eis per noctem.

Petierunt & venit coturnix: & pane celi saturauit eos.

Dirupit petrã et fluxeru nt aque: abierũt
in sicco flumina.

Quoniã memoʒ fuit verbi sãcti sui: quod
habuit ad abʒaham puerum suum.

Et eduxit populũ suum in exultatione: et
electos suos in leticia.

Et dedit illis regiones gentiũ: et laboʒes
populoʒũ possederunt.

Vt custodiant iustificationes eius: & legẽ
eius requirant. Gloʒia patri. Añ. Benedic anima mea domino.

Visita nos dñe. Cõfitemini. Psalm⁹ cv.
Confitemini dño quoniã bonus: quo
niam in seculũ misericoʒdia eius.

Quis loquetur potentias domini: audi-
tas faciet omnes laudes eius.

Beati qui custodiunt iudicium: et faciunt
iusticiam in omni tempoʒe.

Memẽto nostri dñe in beneplacito populi
tui: visita nos in salutari tuo.

l.iij.

Sabbato

Ad videndum in bonitate electorũ tuorũ ad letandum in leticia gentis tue: vt laude ris cum hereditate tua.

Peccauimus cum patribus nostris: iniu ste egimus iniquitatem fecimus.

Patres nostri in egypto non intellexerunt mirabilia tua: non fuerunt memores mul titudinis misericordie tue.

Et irritauerunt ascendentes in mare ma re rubzum: et saluauit eos propter nomen suum/ vt notam faceret potentiam suam.

Et increpuit mare rubzum et exsiccatum est: ꝗ deduxit eos i abyssis sicut in deserto.

Et saluauit eos de manu odientiũ: et re= demit eos de manu inimici.

Et operuit aqua tribulãtes eos: vnus ex eis non remansit.

Et credidersit in verbis eius: et laudaue= runt laudem eius.

Cito fecerunt obliti sunt operum eius: et non sustinuerunt consilium eius.

Et concupierũt concupiscentiam in deser to: et temptauerunt deum in inaquoso.

Et dedit eis petitionem ipsozum: et misit saturitatem in animas eozum.

Et irritauerũt moysen in castris: aaron

Sabbato

Et irritauerunt eum in adinuentionibus suis:⁊ multiplicata est in eis ruina.

Et stetit phinees et placauit: et cessauit quassatio.

Et reputatum est ei in iusticiā:in generatione ⁊ generationē vscʒ in sempiternū.

Et irritauerunt eum ad aquas contradictionis:etvexatus est moyses propter eos/ quia exacerbauerunt spiritum eius.

Et distinxit in labijs suis:non disperdiderunt gentes quas dixit dominus illis.

Et commixti sunt inter gentes / et didicerunt opera eozum/⁊ seruierūt sculptilibus eozum:et factum est illis in scandalum.

Et imolauerunt filios suos:⁊ filias suas demonijs.

Et effuderunt sanguinem innocentē: sanguinem filiozū suozū ⁊ filiarū suarū quas sacrificauerunt sculptilibus chanaan.

Et interfecta est terra in sanguinibus/ et contaminata est in operibus eozū: ⁊ fozni-cati sunt in adinuentionibus suis.

Et iratus est furoze dñs in populū suum: et abominatus est hereditatem suam.

Et tradidit eos in manus gentium: ⁊ do-minati sunt eozum qui oderunt eos.

Sabbato

Nonne tu deus qui repulisti nos : et non
exibis deus in virtutibus nostris.

Da nobis aurilium de tribulatioe : quia
vana salus hominis.

In deo faciemus virtutem : et ipse ad ni=
chilum deducet inimicos nostros. ps̄. cviij.

Deus laudē meā ne tacueris : q̄a os
pctōris ꝥ os dolosi sup me aptū est.

Locuti sunt aduersum me ligua dolosa:
et sermonibus odij circundederunt me / et
expugnauerunt me gratis.

Pro eo vt me diligerēt detrahebāt michi :
ego autem ozabā.

Et posuerunt aduersum me mala pro bo
nis : et odium pro dilectione mea.

Constitue super eum peccatorem : et dya=
bolus stet a dertris eius.

Cum iudicatur exeat cōdemnatus : ꝥ ora
tio eius fiat in peccatum.

Fiant dies eius pauci : et episcopatū eius
accipiat alter.

Fiant filij eius orphani : ꝥvror ei⁹ vidua.

Nutantes transferantur filij eius ꝥ men
dicent : eijciantur de habitationibus suis.

Scrutetur fenerator omnem substāttam
eius : et diripiant alieni labores eius.

Nõ ſit illi adiutoʒ : nec ſit qui miſereatur pupillis eius.

Fiant nati eius in interitum : in genera-tione bna deleat:ꝛ nomen eius.

In memoꝛiam redeat iniquitas patrum eius in conſpectu domini: et peccatum ma-tris eius non deleatur.

Fiant contra dominum ſemper: et diſpe-reat de terra memoꝛia eoꝛum/pꝛo eo quod non eſt recoꝛdatus facere miſericoꝛdiam.

Et perſecutus eſt hominẽ inopem ⁊ men-dicum: et compunctum coꝛde moꝛtificare.

Et dilexit maledictionẽ et veniet ei: et no-luit benedictionem et elongabitur ab eo.

Et induit maledictionem ſicut veſtimen-tum: ⁊ intrawit ſicut aqua in interioꝛa ei⁹/ et ſicut oleum in oſſibus eius.

Fiat et ſicut veſtimentum quo operitur : et ſicu:ʒona qua ſemper pꝛecingitur.

Hoc op⁹ eoꝛ q̃ detrahũt michi apud dñm: et qui loquunꝼ mala aduerſus aĩam meã.

Et tu dñe dñe fac mecum pꝛopter nomen tuũ:quia ſuauis eſt miſericoꝛdia tua.

Libera me q̃a egenus ⁊ pauper ego ſum: et coꝛ meũ conturbatũ eſt intra me.

Sicut vmbꝛa cum declinat ablatus ſum:

Dñica die

Confessio et magnificētia opus eius: ⁊ iustitia eius manet in seculum secult.

Memoriã fecit mirabiliũ suoꝝ: misericoꝛ et miserato̹ dñs / escã dedit timentibus se.

Memoꝛ erit in seculum testamēti sui: virtutē operũ suoꝛ annunciabit populo suo.

Ut det illis hereditatem gentium: opera manuum eius veritas et iudicium.

Fidelia oĩa mandata eius: cõfirmata in seculũ seculi / facta in veritate ⁊ equitate.

Redemptionē misit populo suo: mandauit in eternum testamentum suum.

Sanctum et terribile nomē eius: initium sapientie timoꝛ domini.

Intellectus bonus oĩbus facientibus eum: laudatio eius manet in seculũ secu'i.

Gloꝛia patri. Añ. Fidelia omnia mandata eius: confirmata in seculum secult.

In mandatis. Btūs vir qui. Psalmꝯ ꝯꝝi.

Beatus vir qui timet dominũ: in mãdatis eius volet nimis.

Potens in terra erit semē eius: generatio rectoꝛum benedicetur.

ad velperas.　　　Fo.xc.

Gloria et diuitie in domo eius: et iuſticia
eius manet in ſeculum ſeculi.

Exoztum eſt in tenebzis lumen rectis: mi
ſericozs et miſeratoz et iuſtus.

Iocundus homo qui miſeretur et cōmo-
dat/ diſponit ſermones ſuos in iudicio : q̇a
ineternum non commouebitur.

In memozia eterna erit iuſtus: ab audi-
tione mala non timebit.

Paratum coz eius ſperare in domio: con-
firmatum eſt coz eius nō commouebitur /
donec deſpiciat inimicos ſuos.

Diſpſit dedit paupibꝰ: iuſticia eiꝰ manet
in ſeculū ſeculi/ coznu eiꝰ eraltabiꞇ in gꝉia.

Peccatoz videbit et iraſceꞇ/ dentibus ſuis
fꝛemet et tabeſcet: deſiderium peccatozum
peribit. Gloria patri et iꝉio. Aɴ. In man
datis eius volet nimis.

[musical notation]

Sit nomē domi. Laudate pueri.ps.crij.
Laudate pueri dominū: laudate nomen domini.

Sit nomen domini benedictū : ex hoc nūc
et vſqꝫ in ſeculum.

　　　　　　　　　　　　m.ij.

174

ad vesperas. Fo.xcij.

mortis:et pericula inferni inuenerunt me.
Tribulationem et dolorem inueni: et no=
men domini inuocaui.
O domine libera animã meã: misericors
dñs et iustus/et deus noster miseretur.
Custodiẽs paruulos dominus: humilia=
tus sum et liberauit me.
Cõuertere anima mea in requiem tuam:
quia dominus benefecit tibi.
Quia eripuit aĩam meam de morte:ocu=
los meos a lachrymis/pedes meos a lapsu
Placebo domino:in regione viuorum.
Gloria patri et. Añ. Inclinauit dominus
aurem suam michi.

Credidi. Ipsum. Psalmus .crb.
CRedidi propter qd locutus sum: ego
autem humiliatus sum nimis.
Ego dixi in excessu meo:ois homo mẽdax
Quid retribuam domino : pro omnibus
que retribuit michi.
Calicem salutaris accipiam:⁊ nomen do
mini inuocabo.
Uota mea domino reddam coram omni
m.iiij.

175

populo eius: preciosa in conspectu domini
mors sanctorum eius.
O domine quia ego seruus tuus: ego seruus tuus et filius ancille tue.
Dirupisti vincula mea: tibi sacrificabo ho
stiam laudis/ et nomen domini inuocabo.
Uota mea domino reddam in conspectu
omnis populi eius: in atrijs domus domini in medio tui hierusalem. Gloria patri.
Añ. Credidi propter quod locutus sum.

Laudate. Ipsum. Psalmus.cxvj.
Laudate dominum omnes gentes:
laudate eum omnes populi.
Qm̃ confirmata est super nos misericor-
dia eius: et veritas dñi manet ineternum.
Glr̃ia. Añ. Laudate dñm omnes gentes.

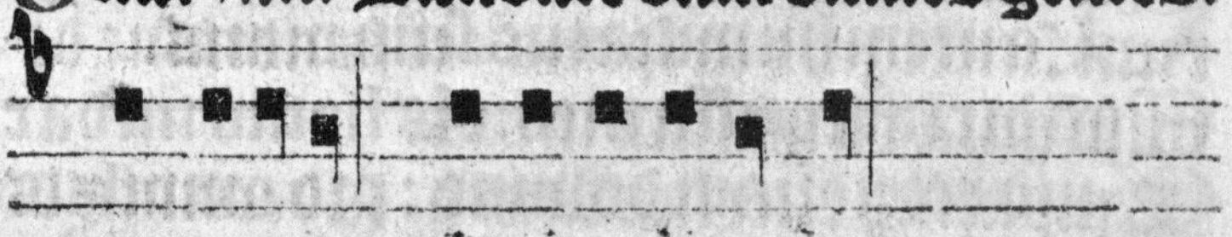

Clamaui. Ad dñm cũ tribu. ps.cxvij.
Confitemini domino quoniã bonus:
quoniã in seculũ misericordia eius.
Dicat nunc israel quoniam bonus: quo-

ad vesperas.   Fo. xciij.

ntam in seculum misericordia eius.

Dicat nunc domus aarõ: quoniam in se=
culum misericordia eius.

Dicant nunc qui timent dominum: quo=
niam in seculum misericordia eius.

De tribulatione inuocaui dominũ: et er=
audiuit me in latitudine dominus.

Dñs michi adiutor: non timebo quid fa=
ciat michi homo.

Dominus mihi adiutor: ⁊ ego despiciam
inimicos meos.

Bonũ est cõfidere in dño: ꝗ̃ ꝫfidere i hoĩe.

Bonum est sperare in domino: ꝗ̃ sperare
in principibus.

Omnes gentes circuierunt me: ⁊ in nomi
ne domini quia vltus sum in eos.

Circundantes circundederũt me: ⁊ in no=
mine domini quia vltus sum in eos.

Circundederunt me sicut apes/ et erarse=
runt sicut ignis in spinis: et in nomine do=
mini quia vltus sũm in eos.

Impulsus euersus sum vt caderem: ⁊ do
minus suscepit me.

Fortitudo mea et laus mea dominus: et
factus est michi in salutem.

Vor erultationis et salutis: in taberna=

Ad Primam.   Fo.xciiij.

Confitebor tibi quoniam exaudisti me: et
factus es michi in salutem.

Confitemini dño quoniã bonus : quoniã
in seculum misericozdia eius.

Deus. Deus in nomie tuo.   ps. cxviij.

Eati immaculati in via: qui am
bulant in lege domini.

Beati qui scrutant testimonia
eius: in toto cozde exqrunt eum.

Non enim qui operantur iniquitatem: in
vijs eius ambulauerunt.

Tu mãdasti: mãdata tua custodiri nimis

Vtinã dirigantur vie mee : ad custodien-
das iustificationes tuas.

Tunc non confundar: cum perspexero in
omnibus mandatis tuis.

Confitebor tibi in directione cozdis: in eo
quod didici iudicia iusticie tue.

Iustificationes tuas custodiam: non me
derelinquas vsqzquaqz.

In quo cozrigit adolescẽtioz viam suam:
in custodiendo sermones tuos.

In toto cozde meo exqsiui te : ne repellas

Ad P₂imam

me a mandatis tuis.

In co₂de meo abſcōdi eloquia tua : vt nō peccem tibi.

Benedictus es domine:voce me iuſtificationes tuas.

In labijs meis p₂onunciaui:omnia iudicia o₂is tui.

In via teſtimonio₂um tuo₂ū delectatus ſum:ſicut in omnibus diuitijs.

In mandatis tuis exercebo₂:⁊ conſidera bo vias tuas.

In iuſtificationibus tuis meditabo₂: nō obliuiſcar ſermones tuos. Glo₂ia.

Etribue ſeruo tuo:biuifica me ⁊ cuſtodiam ſermones tuos.

Reuela oculos meos:et cōſinerabo mirabilia de lege tua.

Incola ego ſum in terra: non abſcondas a me mandata tua.

Concupiuit anima mea deſiderare iuſtificationes tuas:in omni tempo₂e.

Increpaſti ſuperbos:maledicti qui declinant a mandatis tuis.

Aufer a me obp₂ob₂ium ⁊ contemptum: quia teſtimonia tua exquiſiui.

Etenim ſederunt p₂incipes et aduerſum

Ad Tertiam.　　　Fo.xcvj.

salutare tuū secundū eloquium tuum.

Et respōdebo exprobrantibus michi ver=
bum:quia speraui in sermonibus tuis.

Et ne auferas de ore meo verbū veritatis
vsqʒquaqʒ:qa in iudicijs tuis supsperaui.

Et custodiam legem tuam semp: in secu=
lum et in seculum seculi.

Et ambulabam in latitudine:quia man=
data tua exquisiui.

Et loquebar in testimonijs tuis in cōspe=
ctu regum:et non confundebar.

Et meditabar in mandatis tuis:q̃ dilexi.

Et leuaui manus meas ad mandata tua
que dilexi:et exerceboꝛ in iustificationibus
tuis. Gloꝛia patri.

Emoꝛ esto vbi tui seruo tuo:in quo
michi spem dedisti.

Hec me cōsolata est in humilitate
mea:quia eloquium tuum viuificauit me.

Superbi inique agebant vsqʒquaqʒ: a le=
ge autem tua non declinaui.

Memoꝛ fui iudicioꝛum tuoꝛū a seculo do
mine:et consolatus sum.

Defectio tenuit me:pro peccatoꝛibus de=
relinquentibus legem tuam.

Cantabiles michi erāt iustificatiões tue:

Idololatrie dicut q̄ simulacris ea s̄ruitute exhibent q̄ debet deo
that is latria that consisteth in iij thyngꝭ ꝑncipally viz in aknowleggyng
hym to be lord of all lordꝭ maker of all thyngꝭ eg̔tor of all gudnꝰ to
man ꝭ next in louyng hym wt all ꝰ hertꝭ wt all ourꝰ sowles ꝑ all ourꝰ ꝑoꝰ
then offeryng to hym sacrefise of prayeꝰ thankꝭ gyvᵍ othe ꝑious
body ꝑ bludꝭ of his sone Jhus chʳist li̅b̅ᵒ 10 cap 6 de trinitate

Transcription and Translation

MARGINALIA IN THE 𝕭ook of 𝕳ours

TRANSCRIPTION

Sig. c_1 (fol. xvij), p. 3:
    Gyve me thy grace good lord
    To sett the world at nought

Sig. c_1v (fol. xvij^v), p. 4:
    To sett my mynd faste vppon the
    And not to hange vppon the blaste
        of mennys mowthis   5

Sig. c_2 (fol. xviij), p. 5:
    To be content to be solitary
    Not to long for worldely company

Sig. c_2v (fol. xviij^v), p. 6:
    Lytle & litle vttrely to caste of the world
    And ridde my mynd of all the bysynes therof

Sig. c_3 (fol. xix), p. 7:
    Not to long to here of eny worldely thyngis   10
    But that the heryng of worldely fantesyes may
        be to me displesaunt

Sig. c_3v (fol. xix^v), p. 8:
    Gladly to be thinkyng of god
    pituously to call for his helpe

Sig. c_4 (fol. xx), p. 9:
    To lene vn to the cumfort of god   15
    Bysyly to labo^r to love hym

Sig. c_4v (fol. xx^v), p. 10:
    To know myn awne vilite & wrechednesse
    To humble & meken my selfe vnder the
        myghty hand of god

Sig. c_5 (fol. xxj), p. 11:
    To bewayle my synnys passed   20
    ffor the purgyng of them[1] patiently to
        suffre adversite

---

1. The *m* is written over a *y* and what appears to have been an *r*, as if More first wrote "theyr."

Sig. c$_5$v (fol. xxj^v), p. 12:
    gladly to bere my purgatory here
    To be ioyfull of tribulations

Sig. c$_6$ (fol. xxij), p. 13:
    To walke the[1] narow way that ledeth to life   25
    To bere[2] the crosse with christ

Sig. c$_6$v (fol. xxij^v), p. 14:
    To haue the laste thing in remembraunce
    To have ever a fore myn yie my deth that ys
        ever at hand

Sig. c$_7$ (fol. xxiij), p. 15:
    To make deth no straunger to me   30
    To foresee & considre theverlastyng fyre of hell

Sig. c$_7$v (fol. xxiij^v), p. 16:
    To pray for perdon byfore the Iudge come
    To haue continually in mynd the passion that christe
        suffred for me

Sig. c$_8$ (fol. xxiiij), p. 17:
    ffor his benefitys vncessauntly to geve hym thankys   35
    To by the tyme agayn that I byfore haue loste

Sig. c$_8$v (fol. xxiiij^v), p. 18:
    To abstayn from vayne confabulations
    To estew light folysh myrth & gladnesse

Sig. d$_1$ (fol. xxv), p. 19:
    Recreationys not necessary / to cutt off
    of worldely substauns frendys libertie life and all   40
        to sett the losse at right nowght for the
        wynnyng[3] of christ

Sig. d$_1$v (fol. xxv^v), p. 20:
    To thynke[4] my mooste enemyes my best[5]
                        frendys

1. *r* canceled after "the."
2. "my" canceled after "bere."
3. Our emendation of "wynnyg" in the text.
4. A single letter, probably *t* or *r,* canceled after "thynke."
5. "frendys" canceled after "best" at end of line.

ffor[1] the[2] brethern of Ioseph could never haue done   45
hym so mych good with theire love & favo[r] as
they did hym with theire malice &
hatered[3].

Sig. d$_2$ (fol. xxvj), p. 21:
These myndys are more to be[4] desired of
every man than all the treasore of   50
all the princ*is* & kyng*is* christen & hethen
were[5] it gathered & layed to gether
all vppon one hepe

1. The first *f* of "ffor" is conjectural; "The" canceled after "ffor."
2. Interlineated in the text.
3. "hatered" is bracketed in the text.
4. Interlineated in the text.
5. "all" canceled before "were."

MARGINALIA IN THE 𝕻salter
TRANSCRIPTION AND TRANSLATION

Sig. a₂ (fol. ij), p. 27:
Psalm 3:2, *Domine quid multiplicati:* anima resipiscens a peccato (the soul recovering from sin)

Sig. a₂ (fol. ij), p. 27:
Psalm 3:6, *Ego dormiui:* qui resurgit a peccato (he who rises up from sin)

Sig. a₂ (fol. ij), p. 27:
Psalm 3:7, *Non timebo milia:* Insultatio[1] contra demones (a challenge against demons)

Sig. a₂v (fol. ijᵛ), p. 28:
Psalm 4:7, *Signatum est super nos:* gratiarum actio pro consolatione (thanksgiving for consolation)

Sig. a₃ (fol. iij), p. 29:
Psalm 5:11, *Sepulchrum patens:* contra insidias demonum (against the snares of the demons)

Sig. a₃ (fol. iij), p. 29:
Psalm 6:2, *Domine ne in furore:* Imploratio ueniae pro peccatis[2] (a prayer imploring pardon for one's sins)

Sig. a₄ (fol. iiij), p. 31:
Psalm 7:2, *Domine deus meus in te speraui:* contra spiritales[3] nequitias (against the spiritual hosts of wickedness)

Sig. a₄ (fol. iiij), p. 31:
Psalm 7:7, *Exurge domine in ira tua:* contra demones (against demons)

Sig. a₄v (fol. iiijᵛ), p. 32:
Psalm 7:16, *Lacum aperuit:* contra demonem (against the demon)

Sig. a₅ (fol. v), p. 33:
Psalm 9:4, *In conuertendo inimicum:* demones (demons)

1. A single indecipherable letter cancelled before "Insultatio."
2. The last three letters of this word are badly blurred.
3. The form "spiritales" is a variant of "spirituales." In the *Dialogue of Comfort* (Book II, Chapter 9; *English Works*, sig. FF₁v) More renders Ephesians 6:12 (contra spiritualia nequitiae in caelestibus) as "against the spiritual wicked gostes of the ayre."

Sig. a₅v (fol. vᵛ), p. 34:
Psalm 9:7, *Inimici defecerunt:* E[1]

Sig. a₅v (fol. vᵛ), p. 34:
Psalm 9:7, *Perijt memoria:* demones (demons)

Sig. a₅v (fol. vᵛ), p. 34:
Psalm 9:10, *Et factus est:* c

Sig. a₅v (fol. vᵛ), p. 34:
Psalm 9:11, *Et sperent in te:* b

Sig. a₅v (fol. vᵛ), p. 34:
Psalm 9:14, *Miserere mei domine:* a

Sig. a₆ (fol. vj), p. 35:
Psalm 9:19, *Quoniam non in finem:* d

Sig. a₆ (fol. vj), p. 35:
Psalm (10):1, *Ut quid domine:* g[2]

Sig. a₆ (fol. vj), p. 35:
Psalm (10):7, *Cuius maledictione:* ff

Sig. a₆ (fol. vj), p. 35:
Psalm (10):8, *Sedet in insidijs:* demon (demon)

Sig. a₆v (fol. vjᵛ), p. 36:
Psalm (10):9, *Oculi eius:* ff

Sig. a₆v (fol. vjᵛ), p. 36:
Psalm (10):12, *Exurge domine:* h

Sig. a₆v (fol. vjᵛ), p. 36:
Psalm (10):14, *Tibi derelictus:* i

Sig. a₆v (fol. vjᵛ), p. 36:
Psalm (10):17, *Desiderium pauperum:* k

Sig. a₇ (fol. vij), p. 37:
Psalm 10:3, *Quoniam ecce:* l; demones (demons)

Sig. a₇ (fol. vij), p. 37:
Psalm 10:5, *Dominus in templo:* m

1. For this letter and those which follow (a to p), see the Introduction, pp. xxxi–xxxiv.

2. An *e* is canceled before "g" in the margin. Psalm (10) in the Vulgate is the regular Psalm 10 in the Authorized Version, which follows the Hebrew text. Thus the Vulgate Psalm 10 becomes Psalm 11 in the Authorized Version and the numbering of the latter remains one higher than the Vulgate until Psalm 147.

Sig. a₇ (fol. vij), p. 37:
Psalm 10:5, *Oculi eius:* n

Sig. a₇ (fol. vij), p. 37:
Psalm 10:6, *Dominus interrogat:* o

Sig. a₇ (fol. vij), p.37:
Psalm 10:7, *Pluit super:* p

Sig. a₇v (fol. vij^r), p. 38:
Psalm 12:1, *Usquequo domine:* Qui scrupulum habet in confessione et animo suo non satisfacit precetur hunc psalmum (He who has scruples in confession and is not satisfied in his own soul should pray this psalm.)

Sig. a₈ (fol. viij), p. 39:
Psalm 13:3, *Sepulchrum patens:* demones (demons)

Sig. a₈v (fol. viij^r), p. 40:
Psalm 13:5, *Dominum non inuocauerunt:* The marginal mark is a flag with three dots over it.

Sig. b₁ (fol. ix), p. 41:
Psalm 15:4, *Multiplicate sunt:* tribulationis utilitas (the usefulness of tribulation)

Sig. b₁v (fol. ix^r), p. 42:
Psalm 15:8, *Prouidebam dominum:* solacium in tribulatione (comfort in tribulation)

Sig. b₂ (fol. x), p. 43:
Psalm 16:5, *Perfice gressus meos:* petit ne titubet in tentatione (he prays that he may not falter in [the time of] temptation)

Sig. b₂v (fol. x^v), p. 44:
Psalm 16:8, *A resistentibus dextere tue:* oratio christiani popoli [*sic*] contra potentiam turchorum (a prayer of the Christian people against the power of the Turks)

Sig. b₃v (fol. xj^v), p. 45:
Psalm 17:15, *Et misit sagittas:* demones (demons)

Sig. b₇ (fol. xv), p. 47:
Psalm 19:8, *Hi in curribus:* fiducia in deum (trust in God)

Sig. b₇ (fol. xv), p. 47:
Psalm 19:10, *Domine saluum fac regem:* pro rege (for the king)

Sig. b_7v (fol. xv^v), p. 48:
Psalm 20:2, *Domine in virtute:* pro rege (for the king)

Sig. b_8v (fol. xvj^v), p. 49:
Psalm 21:7, *Ego autem sum:* in pena cum infamia (in [the time of] suffering with disgrace)

Sig. c_1 (fol. xvij), p. 50:
Psalm 21:17, *Quoniam circundederunt:* contra demones (against demons)

Sig. c_1 (fol. xvij), p. 50:
Psalm 21:20, *Tu autem domine:* contra demones (against demons)

Sig. c_1v (fol. xvij^v), p. 51:
Psalm 22:4, *Nam et si ambulauero:* fiducia (trust)

Sig. c_1v (fol. xvij^v), p. 51:
Psalm 22:4, *Uirga tua:* trib (trib[ulation])

Sig. c_2v (fol. xviij^v), p. 52:
Psalm 24:1, *Ad te domine:* demones (demons)

Sig. c_2v (fol. xviij^v), p. 52:
Psalm 24:7, *Delicta iuuentutis:* pro peccatis (for one's sins)

Sig. c_2v (fol. xviij^v), p. 52:
Psalm 24:11, *Propter nomen:* pro peccatis (for one's sins)

Sig. c_3 (fol. xix), p. 53:
Psalm 24:15, *Oculi mei semper:* de peccato aut carcere ([rescue] from sin or prison); tri (tri[bulation])[1]

Sig. c_4 (fol. xx), p. 54:
Psalm 26:1, *Dominus illuminatio mea:* fiducia (trust)

Sig. c_4 (fol. xx), p. 54:
Psalm 26:2, *Qui tribulant me:* demones (demons)

Sig. c_4v (fol. xx^v), p. 55:
Psalm 26:12, *Ne tradideris me:* calumnia (false accusation)

Sig. c_4v (fol. xx^v), p. 55:
Psalm 26:13, *Credo videre:* spes et fiducia (hope and trust)

Sig. c_4v (fol. xx^v), p. 55:
Psalm 26:14, *Expecta dominum:* patientia (patience)

1. "tri" is written in the inner margin.

Sig. c$_5$ (fol. xxj), p. 56:
Psalm 27:7, *Dominus adiutor meus:* gratiarum actio de adiutorio (thanksgiving for aid received)

Sig. c$_5$v (fol. xxj^v), p. 57:
Psalm 29:2, *Exaltabo te domine:* euadens tentationem demonum aut recipiscens a peccato (escaping from the temptation of demons or recovering from sin)

Sig. c$_6$ (fol. xxij), p. 58:
Psalm 29:8, *Auertisti faciem tuam:* tri (tri[bulation])

Sig. c$_6$v (fol. xxij^v), p. 59:
Psalm 30:5, *Educes me de laqueo:* contra insidias demonum (against the snares of demons)

Sig. c$_6$v (fol. xxij^v), p. 59:
Psalm 30:6, *In manus tuas:* periclitantis aut morientis oratio (the prayer of someone in great danger or at the point of death)

Sig. c$_6$v (fol. xxij^v), p. 59:
Psalm 30:9, *Nec conclusisti:* ereptus ab insidijs diaboli (snatched away from the snares of the devil)

Sig. c$_7$ (fol. xxiij), p. 60:
Psalm 30:12, *Super omnes inimicos:* in infamia et periculo (in infamy and danger)

Sig. c$_7$ (fol. xxiij), p. 60:
Psalm 30:18, *Erubescant impij:* demones (demons)

Sig. c$_7$ (fol. xxiij), p. 60:
Psalm 30:20, *Quoniam*[1] *magna multitudo:* consolatio spiritus in tribulatione (consolation for the soul in tribulation)

Sig. c$_7$v (fol. xxiij^v), p. 61:
Psalm 31:5, *Delictum meum:* confessio peccati (confession of sin)

Sig. c$_8$ (fol. xxiiij), p. 62:
Psalm 31:7, *Tu es refugium:* tri (tri[bulation])

Sig. d$_2$ (fol. xxvj), p. 66:
Psalm 34:1, *Iudica domine:* contra[2] demones (against demons)

---

1. The modern Vulgate reads "Quam," but More's cento prayer in the *English Works* also has "Quoniam."
2. Our emendation of "cotra."

Sig. d₂v (fol. xxvjᵛ), p. 67:
Psalm 34:5, *Fiant*[1] *tanquam puluis:* contra demones (against demons)

Sig. d₂v (fol. xxvjᵛ), p. 67:
Psalm 34:13, *Ego autem cum michi:* tri (tri[bulation])

Sig. d₃ (fol. xxvij), p. 68:
Psalm 34:15, *Et aduersum me letati:* demones insultant sed humiliemur vtamus [*sic*] cilicio ieiunemus et precemur (the demons taunt [us], but let us lie low; let us wear the hair shirt, let us fast and pray)

Sig. d₃ (fol. xxvij), p. 68:
Psalm 34:19, *Non supergaudeant:* demones etiam falsa prosperitate blandiuntur (the demons also flatter [us] with false prosperity)

Sig. d₄ (fol. xxviij), p. 70:
Psalm 36:1, *Noli emulari:* ne quis invideat improborum prosperitati (let no one envy the prosperity of the wicked)

Sig. d₆ (fol. xxx), p. 74:
Psalm 37:2, *Domine ne in furore:* psalmus efficax ad consequendam ueniam (a good psalm for obtaining pardon)

Sig. d₆v (fol. xxxᵛ), p. 75:
Psalm 37:14, *Ego autem tanquam surdus:* sic se debet habere uir mitis in tribulatione / et neque superbe loqui neque regerere male dicta sed maledicentibus benedicere et libenter pati sive iusticiae causa si meruit sive dei causa si non meruit (a meek man ought to behave in this way during tribulation; he should neither speak proudly himself nor retort to what is spoken wickedly, but should bless those who speak evil of him and suffer willingly, either for justice' sake if he has deserved it or for God's sake if he has deserved nothing)

Sig. d₇ (fol. xxxj), p. 76:
Psalm 38:2, *Posui ori meo:* maledictis abstinendum (evil words are not to be employed)

Sig. d₇v (fol. xxxjᵛ), p. 77:
Psalm 39:2, *Expectans expectaui:* vt[2] exauditus sit et liberatus a tentatione (so that he may be heard and freed from temptation)

Sig. d₈v (fol. xxxijᵛ), p. 78:
Psalm 40:2, *Beatus qui intelligit:* eleemosina in pauperem (alms for the poor man)

1. The printed text incorrectly reads "Fiat."
2. The reading is conjectural.

Sig. e₁ (fol. xxxiij), p. 79:
Psalm 40:6, *Inimici mei dixerunt:* demones (demons)

Sig. e₁v (fol. xxxiijᵛ), p. 80:
Psalm 41:2, *Quemadmodum desiderat ceruus:* felix qui istud ex animo potest dicere (happy the man who can say this from his soul)

Sig. e₁v (fol. xxxiijᵛ), p. 80:
Psalm 41:6, *Quare tristis es:* in tribulatione (in tribulation)

Sig. e₂v (fol. xxxiiijᵛ), p. 81:
Psalm 43:6, *In te inimicos:* demones (demons)

Sig. e₄v (fol. xxxvjᵛ), p. 84:
Psalm 45:2, *Deus noster refugium:* fiducia in deum aduersus tribulationem (trust in God against tribulation)

Sig. e₆ (fol. xxxviij), p. 87:
Psalm 48:2, *Audite hec omnes gentes:* Inuitatio (Invitation)

Sig. e₆v (fol. xxxviijᵛ), p. 88:
Psalm 48:15, *Sicut oues in inferno:* demones (demons)

Sig. e₆v (fol. xxxviijᵛ), p. 88:
Psalm 48:17, *Ne timueris cum diues:* diuitum miseranda superbia (the pride of the rich is to be pitied)

Sig. f₂ (fol. xlij), p. 95:
Psalm 54:5, *Cor meum conturbatum:* in tribulatione (in tribulation)

Sig. f₂v (fol. xlijᵛ), p. 96:
Psalm 54:16, *Ueniat mors super illos:* demones (demons)

Sig. f₃ (fol. xliij), p. 97:
Psalm 54:22, *Molliti sunt sermones:* adulator (flatterer)

Sig. f₃ (fol. xliij), p. 97:
Psalm 54:23, *Iacta super dominum:* in tribulatione (in tribulation)

Sig. f₃ (fol. xliij), p. 97:
Psalm 54:24, *Tu uero deus:* demones (demons)

Sig. f₃v (fol. xliijᵛ), p. 98:
Psalm 55:5, *In deo laudabo:* fiducia (trust)

Sig. f₃v (fol. xliijᵛ), p. 98:
Psalm 55:7, *Inhabitabunt et abscondent:* demones (demons)

Sig. f₃v (fol. xliijᵛ), p. 98:
Psalm 55:9, *Deus vitam meam:* demones (demons)

Sig. f₃v (fol. xliij^v), p. 98:

Psalm 55:13, *Quoniam eripuisti:* liberatus a tentatione (freed from temptation)

Sig. f₃v (fol. xliij^v), p. 98:

Psalm 56:2, *Miserere mei deus:* fiducia in deum (trust in God)

Sig. f₄ (fol. xliiij), p. 99:

Psalm 56:3, *Clamabo ad deum:* liberatus a temptatione (freed from temptation)

Sig. f₄ (fol. xliiij), p. 99:

Psalm 56:7, *Laqueum parauerunt:* demones (demons)

Sig. f₄ (fol. xliiij), p. 99:

Psalm 56:9, *Exurge gloria:* exultacio (exultation)

Sig. f₄v (fol. xliiij^v), p. 100:

Psalm 57:2, *Si vere vtique iusticiam:* qui de iusticia loquitur et iniuste iudicat aut inique fac*it* ypochrita est (a man who speaks of justice and who judges unjustly or acts iniquitously is a hypocrite)

Sig. f₄v (fol. xliiij^v), p. 100:

Psalm 57:7, *Deus conteret dentes:* contra demones (against demons)

Sig. f₅ (fol. xlv), p. 101:

Psalm 58:2, *Eripe me de inimicis:* Imploracio auxilij con*tra* uel demones uel malos ho*m*ines (A plea for help against either demons or evil men)

Sig. f₅ (fol. xlv), p. 101:

Psalm 58:10, *Fortitudinem meam:* spes i*n* deo (hope in God)

Sig. f₅v (fol. xlv^v), p. 102:

Psalm 59:3, *Deus repulisti nos:* oratio pro populo i*n* peste[1] fame bello aut alia tribulatione (a prayer for the people in [time of] plague, famine, war or other tribulation)

Sig. f₆v (fol. xlvj^v), p. 104:

Psalm 60:4, *fortitudinis a facie inimici:* diaboli (of the devil)

Sig. f₆v (fol. xlvj^v), p. 104:

Psalm 60:7, *Dies super dies regis:* pro rege (for the king)

Sig. f₆v (fol. xlvj^v), p. 104:

Psalm 61:2, *Nonne deo subiecta erit:* patientia in tribulacione vel no*n* committa*m* tale pe*c*catu*m* amplius (patience in tribulation, or I shall not commit such a sin again)

1. "fame" is canceled after "peste."

Sig. f₇ (fol. xlvij), p. 105:
Psalm 61:6, *Ueruntamen deo:* patientia (patience)

Sig. f₇ (fol. xlvij), p. 105:
Psalm 62:2, *Sitiuit in te:* desiderium in deum (longing for God)

Sig. f₇ (fol. xlvij), p. 105:
Psalm 62:4, *Quoniam melior est:* in tribulatione et timore[1] mortis (in tribulation and fear of death)

Sig. f₇v (fol. xlvijᵛ), p. 106:
Psalm 63:2, *Exaudi deus orationem meam:* precatio contra insidias demonis (a prayer against the snares of the demon)

Sig. f₈ (fol. xlviij), p. 107:
Psalm 64:4, *Uerba iniquorum:* contra potentem calumniam (against a powerful piece of slander)

Sig. g₁ (fol. xlix), p. 109:
Psalm 65:9, *Qui posuit animam meam:* exultat quod deus eum non permisit cedere tentationi demonis (he rejoices because God has not permitted him to yield to the temptation of the demon)

Sig. g₂ (fol. l), p. 111:
Psalm 67:2, *Exurgat deus:* contra demonum insidias et insultus (against the snares and insults of the demons)

Sig. g₂ (fol. l), p. 111:
Psalm 67:12, *Dominus dabit:* pro predicatoribus (for preachers)

Sig. g₃ (fol. lj), p. 112:
Psalm 67:29, *Manda deus:* petitur perseuerantia (perseverance is sought)

Sig. g₃v (fol. ljᵛ), p. 113:
Psalm 68:2, *Saluum me fac deus:* In tribulacione magna (In great tribulation)

Sig. g₄ (fol. lij), p. 114:
Psalm 68:7, *Non erubescant in me:* in tribulacione dicendum fidelibus a[2] Hungaris[3] inualescentibus turcis et multis hungarorum in turcarum perfidiam desciscentibus (to be said in [time of] tribulation by the faithful among the Hungarians when the Turks grow strong and many Hungarians fall away into the false faith of the Turks)

1. "metu" canceled after "timore."
2. More originally wrote *ab* and then canceled the *b*.
3. Our emendation for "Hugaris" in the original.

Sig. g₄v (fol. lij^v), p. 115:
Psalm 68:23, *Fiat mensa:* contra demones (against demons)

Sig. g₅ (fol. liij), p. 116:
Psalm 68:33, *Uideant pauperes:* pro pauperibus (for the poor)

Sig. g₅ (fol. liij), p. 116:
Psalm 68:34, *Quoniam exaudiuit:* pro incarceratis (for those in prison)

Sig. g₅ (fol. liij), p. 116:
Psalm 69:2, *Deus in adiutorium:* petit A deo defendi (he asks to be protected by God)

Sig. g₆ (fol. liiij), p. 118:
Psalm 70:6, *In te cantatio:* in tribulatione cum infamia (in tribulation with disgrace)

Sig. g₆ (fol. liiij), p. 118:
Psalm 70:9, *Ne proijcias me:* senectus segnis est (old age is sluggish)

Sig. g₆ (fol. liiij), p. 118:
Psalm 70:10, *Quia dixerunt inimici:* consilium demonum (the counsel of the demons)

Sig. g₆v (fol. liiij^v), p. 119:
Psalm 70:18, *Potentiam tuam:* gratias agit de liberatione A tribulatione uel tentatione (he gives thanks for his release from tribulation or temptation)

Sig. g₆v (fol. liiij^v), p. 119:
Psalm 71:2, *Deus iudicium tuum:* pro rege (for the king)

Sig. g₇v (fol. lv^v), p. 121:
Psalm 72:1, *Quam bonus israel:* gaudens euasisse e[1] tentatione diaboli in quam fere occiderat (rejoicing that he has escaped from the temptation of the devil into which he had almost fallen)

Sig. g₇v (fol. lv^v), p. 121:
Psalm 72:4, *Quia non est respectus:* prosperitas impedit conversionem et facit augeri vicia (prosperity hinders conversion and causes vices to increase)

Sig. g₈ (fol. lvj), p. 122:
Psalm 72:11, *Et dixerunt / quomodo:* dixit insipiens (so spoke the fool)

Sig. g₈v (fol. lvj^v), p. 123:
Psalm 72:24, *Tenuisti manum:* euadens tentationem (avoiding temptation

---

1. Only the edge of this letter is now visible in the original.

Sig. g₈v (fol. lvjʳ), p. 123:
Psalm 72:28, *Michi autem adherere:* fiducia in deum (trust in God)

Sig. g₈v (fol. lvjʳ), p. 123:
Psalm 73:1, *Ut quid deus:* pro populo (for the people)

Sig. h₁v (fol. lvijʳ), p. 125:
Psalm 74:2, *Confitebimur tibi deus:* Rex[1] pius et supplex (a pious and suppliant king)

Sig. h₂ (fol. lviij), p. 126:
Psalm 74:5, *Dixi iniquis:* idem (likewise)

Sig. h₂ (fol. lviij), p. 126:
Psalm 75:5, *Illuminans tu:* idem (likewise)

Sig. h₂v (fol. lviijʳ), p. 127:
Psalm 75:7, *Ab increpatione tua:* idem (likewise)

Sig. h₂v (fol. lviijʳ), p. 127:
Psalm 76:2, *Uoce mea ad dominum:* de tribulatione (concerning tribulation)

Sig. h₄v (fol. lxʳ), p. 130:
Psalm 77:23, *Et mandauit nubibus:* sua[2] sponte dedit illis manna sed illorum clamori[3] dedit coturnices (by His own will He gave them manna, but He gave them quails in response to their cry)

Sig. h₄v (fol. lxʳ), p. 130:
Psalm 77:29, *Et manducauerunt:* quum visus est maxime placatus maxime est indignatus (when He seemed to be most appeased, then He was most displeased)

Sig. h₇ (fol. lxiij), p. 133:
Psalm 78:5, *Usquequo domine:* pro christiano populo (for the Christian people)

Sig. h₇v (fol. lxiijʳ), p. 134:
Psalm 79:4, *Deus conuerte nos:* pro populo christiano contra turcas (for the Christian people against the Turks)

Sig. h₈ (fol. lxiiij), p. 135:
Psalm 79:14, *Exterminauit eam aper:* machomaeus[4] (Mohammed)

1. *s* canceled after "Rex."

2. Over the *a* of "sua" is an apparently otiose mark which resembles an *s* with three dots above it.

3. The *i* of "clamori" is written over an *e*. In this passage More, like the Psalmist, is recalling Exodus 16:13, "Factum est ergo vespere, et ascendens coturnix cooperuit castra."

4. The reading is uncertain. An indecipherable letter (perhaps a *t*) has been written over "mae." More probably intended the usual medieval Latin form, "machometus."

199

Sig. i₁v (fol. lxvʳ), p. 138:

Psalm 82:2, *Deus quis similis:* populus christianus contra turcas (the Christian people against the Turks)

Sig. i₂ (fol. lxvj), p. 139:

Psalm 83:2, *Quam dilecta tabernacula:* oratio uel eius qui in carcere clausus[1] est aut eger recumbit in[2] Lecto suspirantis ad templum aut cuiuslibet fidelis suspirantis in celum (the prayer either of a man who is shut up in prison, or of one who lies sick in bed, yearning [to go] to church, or of any faithful man who yearns for heaven)

Sig. i₂v (fol. lxvjʳ), p. 140:

Psalm 84:2, *Benedixisti domine:* post victoriam uel aduersus turcas, uel aduersus demones, in tentatione uel actio graciarum post ablatam pestem aut[3] ablatam siccitatem aut pluuiam (after victory, either against the Turks or against the demons in temptation; or a thanksgiving after the plague, or drought, or a spell of rainy weather have been taken away)

Sig. i₃ (fol. lxvij), p. 141:

Psalm 85:3, *Miserere mei domine:* petit consolari (he asks to be comforted)

Sig. i₃v (fol. lxvijʳ), p. 142:

Psalm 85:7, *In die tribulationis:* gratie actae de liberatione A[4] tribulatione (thanksgiving for release from tribulation)

Sig. i₃v (fol. lxvijʳ), p. 142:

Psalm 85:13, *Quia misericordia tua:* liberatio a peccatis (liberation from sins)

Sig. i₄ (fol. lxviij), p. 143:

Psalm 85:17, *Fac mecum signum:* lustratio crucis (the sacrifice of the cross)

Sig. i₄ (fol. lxviij), p. 143:

Psalm 87:2, *Domine deus salutis:* in tribulatione (in tribulation)

Sig. i₄v (fol. lxviijʳ), p. 144:

Psalm 87:5, *Estimatus sum:* in tribulatione uehementi et in carcere (in severe tribulation and in prison)

Sig. i₅v (fol. lxixʳ), p. 146:

Psalm 88:7, *Quoniam quis in nubibus:* maiestas dei (the majesty of God)

Sig. i₆ (fol. lxx), p. 147:

Psalm 88:23, *Nichil proficiet:* pro rege (for the king)

1. "clausus" is interlineated.
2. The original has "in in."
3. "reddita" is canceled after "aut."
4. *A* is written over another word, perhaps "ab."

Sig. i₇v (fol. lxxjʳ), p. 149:

Psalm 89:7, *Quia defecimus:* imploratio[1] misericordiae (a prayer imploring mercy)

Sig. i₈ (fol. lxxij), p. 150:

Psalm 89:17, *Et sit splendor:* ut opus prosperet[2] deus (that God may prosper our work)

Sig. i₈ (fol. lxxij), p. 150:

Psalm 90:1, *Qui habitat in adiutorio:* de protectione dei (concerning the protection of God)

Sig. i₈ (fol. lxxij), p. 150:

Psalm 90:7, *Cadent a latere:* demones (demons)

Sig. k₁v (fol. lxxiijʳ), p. 153:

Psalm 93:2, *Exaltare qui iudicas:* contra turcas (against the Turks)

Sig. k₂ (fol. lxxiiij), p. 154:

Psalm 93:16, *Quis consurget mihi:* gratias agit quod seruauit eum deus in tentatione (he gives thanks that God saved him during temptation)

Sig. k₂v (fol. lxxiiijʳ), p. 155:

Psalm 94:1, *Uenite exsultemus:* Inuitatio ad orationem (an invitation to prayer)

Sig. k₃ (fol. lxxv), p. 156:

Psalm 95:4, *Quoniam magnus dominus:* maiestas[3] dei (the majesty of God)

Sig. k₃v (fol. lxxvʳ), p. 157:

Psalm 96:1, *Dominus regnauit:* maiestas dei (the majesty of God)

Sig. k₆ (fol. lxxviij), p. 161:

Psalm 101:2, *Domine exaudi:* trib (trib[ulation])

Sig. k₇ (fol. lxxix), p. 163:

Psalm 102:1, *Benedic anima mea:* Inuitatio ad agendas gratias (an invitation to give thanks)

Sig. k₇v (fol. lxxixʳ), p. 164:

Psalm 102:11, *Quoniam secundum altitudinem:* misericordia dei (the mercy of God)

Sig. k₈ (fol. lxxx), p. 165:

Psalm 103:7, *Ab increpatione tua:* demones (demons)

1. The letters *pr* are canceled before "imploratio."
2. The *t* of "prosperet" is not visible in the original.
3. "maist" is canceled above "maiestas."

Sig. l$_1$ (fol. lxxxj), p. 166:

Psalm 103:32, *Qui respicit terram:* maiestas dei (the majesty of God)

Sig. l$_3$v (fol. lxxxiij^v), p. 169:

Psalm 105:6, *Peccauimus cum patribus:* pro peccatis (for sins)

Sig. l$_4$v (fol. lxxxiiij^v), p. 170:

Psalm 105:37, *Et immolauerunt filios suos:* hoc[1] faciunt qui male educunt (this they do who bring up [their children] badly)

---

1. Two or three indecipherable letters are canceled before "hoc."

End Paper Materials [1]

Page 181:

Idolatre dicuntur qui simulacris eam seruitutem exhibent quae debetur deo[2]
that is latria that consistith in iij thynges principally vz in aknowlegyng hym
to be lord of all lordes maker of all thynges & gyver of all gudnes to man / next
in lovyng hym with all owr hartes with all owr soules & with all owr power
then in offeryng to hym sacrifise of prayor thankes gyving & the precious body
& bludde of his sune Ihesus christ liber 1⁰ cap. 6 de Trinitate

Inside Back Cover [3]

Page 182:

primus. psalmus 21 deus deus meus [re]spice (21:1)
2us   psalmus 19 Exaudiat te dominus (19:1)
3us   psalmus 73[4] Vt quid deus repulisti (73:1)
4tus   psalmus 97 cantate domino canticum novum quia mir. fecit (97:1)
5tus[5] psalmus[6] 1010us confitebor tibi domine in toto corde meo (110:1)

1. The paragraph which follows, occurring on the third of five nonconjugate leaves bound in
at the end of the volume, is not in More's hand. See the Introduction, p. xix.

2. "They are called idolaters who render to images that service which is owed to God." The
quotation is from St. Augustine's *De Trinitate*, book I, chapter 6, section 13. See J.-P. Migne,
Patrologia Latina, 42, col. 827.

3. The lines which follow are in More's hand. See the Introduction, p. xix.

4. A 6 is canceled before "73."

5. e is canceled before "tus."

6. "psalmus" is interlineated.

Rastell's 1557 Text of More's English Prayer

¶ A godly meditacion, written by sir
Thomas More knyghte whyle he
was prisoner in the tower of Londo*n*,
in the yere of our Lord, 1534.[1]

GEue me thy grace good Lorde
to set the worlde at nought.
    To set my mynde fast vppon
the.
    And not to hange vppon the blast of   5
mennes mouthes.
    To be content to be solitary.
    Not to long for worldly company.
    Lytle & litle vtterly to cast of y*e* worlde.
    And ridde my mynde of all the busy-   10
nesse therof.
    Not to long to heare of any worldlye
thynges.
    But that the hearyng of worldly fan-
tasyes maye be to me displeasant.   15
    Gladly to be thynking of god.
    Piteously to call for his helpe.
    To leane vnto the coumforte of God.
    Busily to labour to loue hym.
    To knowe myne owne vilitee & wret-   20
chednes.
    To humble and meken my self vnder
the myghty hand of god.
    To bewayl my sinnes passed.
    For the purgyng of them, pacientlye   25
to suffer aduersitie.
    Gladly to beare my purgatorye[2] here.
    To be ioyful of tribulacions.

1. The text is a line-for-line reprint of the 1557 text. Abbreviations in the original have been
expanded and italicized.

2. *1557* has "pnrgatorye."

To walke the narowe way that lea-
deth to lyfe.   30
   To beare the crosse with Christ.
   To haue the laste thynge in remem-
brance.
   To haue euer afore myne eye, my
death, that is euer at hande.   35
   To make death no straunger to me.
   To foresee and consider the euerlasting
fier of hell.
   To pray for pardone before the iudge
come.   40
   To haue continually in mind, the pas-
sion that Christ suffred for me.
   For his benefites vncessantly to giue
him thankes.
   To bye the time again, that I before   45
haue lost.
   To abstaine from vaine confabula-
cions.
   To eschewe light foolishe mirthe and
gladnes.   50
   Recreacions not necessary to cut of.
   Of worldly substance, frendes, liber-
tye, life, and al, to sette the losse at right
nought, for the winning of Christ.
   To thinke my most enemies my beste 55
frendes.
   For the bretherne of Ioseph, coulde
neuer haue done him so much good with
their loue and fauor, as they did him w^t
their malice and hatred.   60
   These mindes are more to be desired of
euery man, than all the treasure of all the
princes and kinges christen & heathen,
were it gatherd and layde together all
vpon one heape.   65